봄은 깊어

봄은 깊어

박성민 엮고 옮김

시와서

차례

1장
고요한 봄의 빛에 감싸여

바다 _ 다자이 오사무 11
봄 _ 다자이 오사무 15
아, 가을 _ 다자이 오사무 18
귤 _ 아쿠타가와 류노스케 22
연말의 하루 _ 아쿠타가와 류노스케 30
연말 _ 구보타 만타로 38
봄은 깊어 _ 구보타 만타로 45
설날 _ 구보타 만타로 53
생각나는 것들 28 _ 나쓰메 소세키 58
이상한 소리 _ 나쓰메 소세키 64
꿩 _ 나쓰메 소세키 73
묵즙일적 _ 마사오카 시키 80
병상육척 _ 마사오카 시키 86
앙와만록 _ 마사오카 시키 93
9월 14일 아침 _ 마사오카 시키 98
런던의 소세키에게 _ 마사오카 시키 102

2장

무엇이 그리워 쓰는 시인가

문조 _ 나쓰메 소세키 107
마음 _ 나쓰메 소세키 130
가을 풀 _ 나카 간스케 135
머리에 꽂은 꽃 _ 쓰무라 노부오 138
꽃 이야기 _ 데라다 도라히코 144
나의 색비름 _ 마쓰네 도요조 162
복숭아가 있는 풍경 _ 오카모토 가노코 169
병실에 드리워진 꽃 _ 오카모토 가노코 176
꽃집의 창 _ 가타야마 히로코 181
가을 안개 _ 미야모토 유리코 186
새 모이 _ 미야모토 유리코 190
추운 밤 _ 미야모토 유리코 198
하늘의 아름다움 _ 미야모토 유리코 202
모깃불 _ 미야모토 유리코 204
생활 _ 하야시 후미코 206

3장

붓을 드는 것이 울적하구나

서리 내린 밤 _ 아쿠타가와 류노스케 229
가을밤 _ 아쿠타가와 류노스케 231
머위 _ 아쿠타가와 류노스케 233
추억 _ 아쿠타가와 류노스케 235
얼음가게의 깃발 _ 이시카와 다쿠보쿠 245
병실에서 _ 이시카와 다쿠보쿠 248
망제 _ 나카하라 주야 254
풀 베는 냄새 _ 스스키다 규킨 274
서재와 별 _ 기타하라 하쿠슈 280
아이와의 여행 _ 다야마 가타이 284
여름의 하루 _ 도쿠토미 로카 288
어느 밤 _ 도쿠토미 로카 293
가을, 쓸쓸하다 _ 도쿠토미 로카 298
눈 _ 도쿠토미 로카 301

옮긴이의 말 308

1장

고요한 봄의 빛에 감싸여

바다

다자이 오사무

도쿄의 미타카 집에 살던 무렵에는 매일같이 근처에 폭탄이 떨어졌는데, 나는 죽어도 상관없지만 이 아이의 머리 위에 폭탄이 떨어진다면, 이 아이는 결국 바다라는 것을 한 번도 보지 못하고 죽어 버리는구나, 하고 생각하니 마음이 괴로웠다. 나는 쓰가루 평야 한복판에서 태어났기 때문에 바다를 본 것이 늦어, 열 살 무렵 처음으로 바다를 보았다. 그리고 그때의 커다란 흥분은 지금도 내 가장 소중한 추억 중의 하나가 되었다. 이 아이에게도 한 번 바다를 보여 주고 싶다.

아이는 딸아이로 다섯 살이다. 얼마 후 미타카의 집은 폭탄으로 무너졌지만, 가족 누구도 다치지 않았다. 우리는 아내의 고향인 고후 시로 집을 옮겼다. 하지만 고후도 얼마 지나지 않아 적기의 습격을 받아 우리 집은 몽땅 다 타 버렸다. 그래도 전쟁은 이어진다. 결국 내가 태어난 땅으로 처자식을 데리고 갈 수밖에 없다. 그곳이 우리가 죽을 마지막 장소이다. 우리는 고후에서 쓰가루의 고향집을 향해 출발했다. 사흘 낮 사흘 밤이 걸려 겨우 아키타 현 히가시노시로에 도착해, 거기서 고노선(線) 기차를 갈아타고 나니 조금 마음이 놓였다.

"바다가, 바다가 보이는 쪽이 어느 쪽인가요?"

나는 먼저 차장에게 묻는다. 이 기차는 바닷가 바로 옆을 지나간다. 우리는 바다가 보이는 쪽에 앉았다.

"바다가 보일 거야. 이제 곧 보여. 우라시마 타로 이야기에 나오는 바다가 보인단 말야."

나 혼자서 법석을 떨고 있다.

"저기 봐! 바다야. 봐, 바다라고, 아아, 바다다. 크지? 응? 바다란 말야."

드디어 이 아이에게도 바다를 보여 줄 수 있게 된 것이다.

"강이네, 엄마" 하고 아이는 아무렇지도 않게 말한다.

"강?" 나는 어이가 없었다.

"으음, 강이네." 아내가 반쯤 잠이 든 채 대답한다.

“강이 아냐. 바다라고. 완전히, 전혀, 달라! 강이라니, 너무하잖아.”

참으로 보람도 없이, 나 혼자, 해 질 녘의 바다를 바라본다.

(1946년)

다자이 오사무(太宰治) 1909~1948

소설가. 일본 근대 문학을 대표하는 작가 중 하나이다. 《인간실격》, 《사양》, 《만년》등 여러 명작을 남겼다. 몰락한 귀족 여성을 주인공으로 한 《사양》은 베스트셀러가 되었고, 《인간실격》은 나쓰메 소세키의 《마음》과 더불어 일본에서 가장 대중적으로 사랑 받는 문학 작품이다.
자전적 소설 《인간실격》을 완성하고 한 달 후, 서른아홉 살에 스스로 생을 마감했다.

봄

다자이 오사무

이제 서른일곱 살이 됩니다. 얼마 전에 어느 선배가, 자네, 용케 그럭저럭 살아왔군, 하고 진지하게 말했습니다. 나 자신도 서른일곱까지 살아왔다는 것이 거짓말처럼 여겨질 때가 있습니다. 전쟁 때문에, 겨우겨우, 살아남을 힘을 얻은 것입니다. 이제 아이가 둘입니다. 큰아이는 여자아이로, 올해 다섯 살이 됩니다. 작은아이는 남자아이로, 작년 8월에 태어나 아직 할 줄 아는 게 아무것도 없습니다. 적기의 공습이 있을 때는 아내가 작은아이를 업고 나는 큰아이를 안고, 방공호로 뛰어듭니다. 며칠 전, 갑자기 적기가 날아와 집 바로 근처에 폭탄을 떨어뜨리는 바람에, 미처 방공호에 뛰어들지도 못하고 가족들이 두 패로 갈라져 벽장 안에 숨어 있는데, 와장창하고 뭔가가 깨지는 소리가 나자, 딸아이가 우와, 유리가 깨졌어, 하고 하나도 무섭지 않다는 듯이 아무 생각 없이 떠들어댔습니다. 적기가 사라지고 나서 소리가 난 곳에 가 보니, 역시 방의 유리창 하나가 깨져 있었습니다. 나는 말없이 쪼그리고 앉아 유리 조각을 주워 담았는데, 손가락 끝이 떨려서 쓴웃음이 나왔습니다. 한시라도 빨리 수리하고 싶어서 아직 공습경보가 해제되지도 않았는데 기름종이를 잘라서 깨진 부분에 발랐더니, 거친 뒷면이 바깥쪽으로 향하고 매끈한 면을 안쪽으로 해서 바르는 바람에, 아내가 얼굴을 찡그리며, 내가 나중에 할 건데, 뒤바뀌었잖아요, 하고 말했습니다. 나는 또, 쓴웃음을 지었습니다.

피난을 가야 하는데 이런저런 사정, 주로 금전 사정으로 꾸물대고 있는 사이에 어느덧 봄이 찾아왔습니다.

올해 도쿄의 봄은 북쪽 지방의 봄과 아주 닮았습니다.

눈이 녹아 떨어지는 물방울 소리가 끊임없이 들려오기 때문입니다. 큰 딸아이는 자꾸 버선을 벗고 싶어 합니다.

올해 도쿄의 눈은 40년 만의 대설이라고 합니다. 내가 도쿄에 온 지 그럭저럭 15년쯤 됩니다만, 이렇게 큰 눈이 내린 기억은 없습니다.

눈이 녹자마자 꽃이 피기 시작하다니, 그야말로 북쪽

지방의 봄과 똑같습니다. 도쿄에 있으면서도 고향으로 피난을 간 것 같은 기분이 드는 것도 이 대설 덕분이었습니다.

지금, 큰 딸아이가 맨발에 나막신을 신고 눈 녹은 길을 따라 엄마와 함께 목욕탕에 갔습니다.

오늘은 공습이 없는 모양입니다.

출정하는 어린 친구의 깃발에 남아필생 위기일발(男兒畢生危機一髮)*이라고 써 주었습니다.

바쁨(忙), 한가함(閑), 그 둘 사이도 머리카락 한 올 차이.

(1946년)

* 남자는 생이 끝날 때까지 머리카락 한 올 차이로 안위가 갈릴 만큼 위험한 상태에 있다.

아, 가을

다자이 오사무

본업이 시인이기라도 하면, 언제 어떤 주문이 들어올지 모르기 때문에, 늘 시재(詩材)를 준비해 둔다.

'가을에 대하여'라는 주문이 와서, 좋다 왔구나, 하고 '아*' 항목의 서랍을 열어 보니, 아이(愛, 사랑), 아오(青, 파랑), 아카(赤, 빨강), 아키(秋, 가을), 여러 가지 노트가 있기에, 그중에 가을 노트를 꺼내, 찬찬히 그 노트를 살펴본다.

잠자리. 투명하다. 그렇게 쓰여 있다.

가을이 되면 잠자리도 가냘파져, 육체는 죽고 정신만

* 일본어로 가을을 아키라고 한다.

비틀비틀 날고 있는 모습을 가리키는 말 같다. 잠자리의 몸이 가을 햇살에 투명하게 비쳐 보인다.

가을은 여름이 타고 남은 것. 그렇게 쓰여 있다. 초토(焦土)이다.

여름은 상들리에. 가을은 등롱. 그렇게도 쓰여 있다.

코스모스, 무참함. 그렇게 쓰여 있다.

언젠가 변두리의 어느 국숫집에서 국수를 기다리는 동안, 식탁 위의 오래된 잡지를 펼쳐보는데, 그 안에 대지진 때 사진이 있었다. 온통 불타 버린 들판, 격자무늬의 유카타*를 입은 여자가, 홀로 덩그러니, 지쳐서 쪼그리고 앉아 있었다. 나는 가슴이 타서 눌어붙을 만큼 그 비참한 여자를 사랑했다. 무시무시한 정욕마저 느꼈다. 비참과 정욕은 등을 맞대고 있는 것 같다. 숨이 멎을 만큼, 괴로웠다. 마른 들판의 코스모스를 마주치면, 나는 그것과 똑같은 고통을 느낀다. 가을의 나팔꽃도, 코스모스와 똑같은 정도로 나를 순식간에 질식시킨다.

가을은 여름과 동시에 찾아온다. 이렇게 쓰여 있다.

여름 안에, 가을이 몰래 숨어들어, 어느새 와 있지만, 사람은 불볕더위에 속아 그걸 알아채지 못한다. 귀 기울

* 여름철에 입는 무명천의 홑옷.

여 주의 깊게 듣고 있으면, 여름이 되는 동시에 벌레가 울고 있고, 뜰을 세심하게 보고 있으면, 도라지꽃도 여름이 되자마자 피어 있는 것을 발견하기도 하고, 잠자리도 원래 여름벌레이고, 감도 여름 동안 옹골차게 열매를 맺는다.

가을은 야비한 악마다. 여름 동안 전부, 몸단장을 마치고 코웃음을 치며 웅크리고 있다. 나처럼 형안을 가진 시인이 되면, 그것을 꿰뚫어 볼 수 있다. 가족들이 여름을 즐거워하며 바다로 갈까 산으로 갈까 신이 나서 이야기하고 있는 걸 보면, 측은한 마음이 든다. 이미 가을은 여름과 함께 숨어들어 와 있는데. 가을은 끈질기고 방심할 수 없는 녀석이다.

괴담 좋음. 안마. 만약, 만약.

손짓한다, 참억새. 저 뒤에는 분명 묘지가 있습니다.

길 물으니, 여자 말이 없다. 마른 들판.

무슨 의미인지 알 수 없는 말이 이것저것 쓰여 있다. 뭔가 메모해 둔 것이겠지만, 나 자신도 글을 쓴 동기를 잘 모르겠다.

창밖, 뜰 안의 흑토를 바스락바스락 기어 다니는 추한 가을 나비를 본다. 유난히, 튼튼한 탓에, 죽지 않고 있다. 결코 허무한 모습은 아니다. 그렇게 쓰여 있다.

이걸 썼을 때는, 나는 몹시 괴로웠다. 언제 쓴 것인지, 나는 절대 잊지 못한다. 하지만, 지금은 말하지 않겠다.

버려진 바다. 그렇게 쓰여 있다.

가을의 해수욕장에 가 본 적이 있습니까? 바닷가에 망가진 그림 양산이 떠밀려 오고, 환락의 흔적, 붉은 해가 그려진 등롱이 버려져 있고, 비녀, 휴지, 레코드 파편, 빈 우유병, 바다는 불그스름하게 탁하고, 철썩철썩 파도가 치고 있었다.

오가타 씨에게는, 아이가 있었지.

가을이 되니, 살갗이 마르고, 그립구나.

비행기는, 가을이 제일 좋아요.

이것도 무슨 의미인지 모르겠지만, 가을의 대화를 엿듣고, 그대로 받아 적은 것 같다.

또, 이런 것도 있다.

예술가는, 언제나, 약자의 친구였는데.

가을과 아무 관계도 없는, 그런 말까지 쓰여 있는데, 어쩌면 이건 '계절의 사상' 같은 건지도 모르겠다.

그 밖에,

농가. 그림책. 가을과 군대. 가을의 누에. 화재. 연기. 절.

어수선하게 잔뜩 쓰여 있다.

(1939년)

귤

아쿠타가와 류노스케

어느 흐린 겨울의 해 질 녘이다. 나는 요코스카 발 상행 열차 이등칸 한구석에 앉아, 멍하니 발차 기적 소리를 기다리고 있었다. 한참 전에 전등이 켜진 객실 안에는 이상하게 나 말고는 승객이 한 사람도 없었다. 밖을 내다보니, 어스름한 플랫폼에도 오늘은 유달리 배웅 나온 이라고는 그림자조차 보이지 않고, 우리에 갇힌 강아지 한 마리가 이따금 슬픈 듯이 짖어 대고 있었다. 이런 풍경들은 그때의 내 마음과 이상하리만치 잘 어울렸다. 내 머릿속에는 뭐라 말할 수 없는 피로와 권태가, 마치 눈구름이 가득 낀 하늘처럼 어두침침한 그림자를 드리우고 있었다. 나는 외투 호주머니에 두 손을 찔러 넣은 채, 그 안에 들어 있는 석간을 꺼내 읽을 기운조차 나지 않았다.

이윽고 발차 기적 소리가 울렸다. 나는 희미하게 긴장이 풀리는 것을 느끼며 뒤쪽 창틀에 머리를 기댄 채, 눈앞의 정거장이 스르르 뒤로 물러나기를 아무 생각 없이 기다리고 있었다. 그런데 그때 요란한 나막신 소리가 개찰구 쪽에서 들려오는가 싶더니, 잠시 후 뭐라 뭐라 욕을 퍼붓는 차장의 목소리와 함께 내가 탄 이등칸 문이 덜커덩 열리면서, 열서너 살쯤 된 여자아이 하나가 허둥대며 들어왔다. 그와 동시에 묵직하게 한번 흔들리더니 기차는 천천히 움직이기 시작했다. 눈앞을 가르며 하나씩 지나쳐 가는 플랫폼의 기둥들, 깜빡 놓고 간 듯한 물 수레차, 그리고 기차 안의 누군가에게 축하 인사를 건네는 짐꾼 — 그 모든 것들이 차창으로 불어닥치는 매연 속으로 미련이라도 있는 듯이 쓰러져갔다. 그제야 나는 비로소 마음이 놓여 궐련에 불을 붙이면서 나른한 눈을 들고, 앞자리에 앉은 여자아이의 얼굴을 힐끗 쳐다보았다.

푸석한 머리칼을 은행잎 모양으로 틀어 올리고, 비벼댄 자국이 있는 두 뺨은 온통 터서 기분 나쁠 정도로 벌겋게 달아오른, 그야말로 시골뜨기 아이였다. 게다가 때 묻은 연두색 털실 목도리가 축 늘어져 있는 무릎 위에는 큼직한 보따리가 놓여 있었다. 그 보따리를 껴안은 부르튼 손에는 빨간 삼등칸 표가 소중히 쥐어져 있었다. 나는 그 여자아이의 천박한 얼굴 생김새가 싫었다. 그리고 옷차림이 지저분한 것도 불쾌했다. 마지막으로 이등칸과 삼등칸도 구별하지 못하는 우둔함에 화가 났다. 그래서 궐련에 불을 붙인 나는 그 아이의 존재를 잊고 싶기도 해서 호주머니 안의 석간을 무릎 위에 펼쳐 놓고 건성건성 읽기 시작했다. 그러자 그때 석간 지면 위에 떨어져 있던 창밖의 빛이 갑자기 전등 불빛으로 변하더니, 인쇄 상태가 좋지 않은 활자가 의외일 정도로 선명히 내 눈앞에 떠올랐다. 말할 것도 없이 기차가 요코스카 선로 위의 여러 터널 중 첫 번째로 들어간 것이다.

그러나 전등 불빛에 비친 석간 지면을 훑어봐도, 내 우울함을 달래기에는 세상은 너무나 평범한 일들로 가득했다. 강화 문제, 신혼부부, 비리 사건, 부고. 나는 터널로 들어선 순간, 달리는 기차의 방향이 뒤바뀐 듯한 착각에 빠진 채, 그런 삭막한 기사에서 기사로 거의 기계적으로 눈을 옮겨 갔다. 하지만 그러는 동안에도 물론 그 아이가, 마치 비속한 현실을 인간으로 만들어 놓은 듯한 표정으로 내 앞에 앉아 있는 것을 내내 의식하지 않을 수 없었다. 터널 속의 기차와 시골뜨기 여자아이, 그리고 평범한 기사로 가득한 석간신문, — 이것이 상징이 아니라면 무엇이란 말인가. 불가해하고 하등하며 지루한 인생의 상징이 아니면 무엇이란 말인가. 나는 모든 게 하찮게 여겨져, 읽다 만 석간을 내던지고 다시 창틀에 머리를 기댄 채 죽은 듯이 눈을 감고 꾸벅꾸벅 졸기 시작했다.

그리고 얼마쯤 지난 후였다. 문득 뭔가 위협하는 듯한 기분이 들어 무심코 주위를 둘러보니, 어느샌가 그 여자아이가 맞은편에서 내 옆자리로 옮겨 와 자꾸 창문을 열려고 하고 있었다. 하지만 묵직한 유리문은 좀처럼 생각대로 열리지 않는 모양이다. 온통 튼 자국이 있는 뺨은 점점 더 발개지고, 이따금 코를 훌쩍이는 소리가 숨가쁜 작은 목소리와 함께 쉴 새 없이 귀에 들려온다. 그것은 분명 나에게도 얼마쯤은 동정을 일으키기에 충분했다. 하지만 기차가 이제 막 터널 입구로 들어서려 한다는 건, 어스름 속에 마른풀만이 환히 보이는 양쪽 산 중턱이 차창 쪽으로 바싹 다가와 있는 것만 봐도 바로 짐작할 수 있었다. 그런데도 그 아이는 닫혀 있는 창문을 굳이 열려고 했고, 나는 그 이유를 알 수가 없었다. 아니, 나는 그것이 그저 그 아이의 변덕이라고밖에 달리 생각할 수가 없었다. 그래서 나는 마음속으로는 여전히 가시 돋친 감정을 품은 채, 그 부르튼 손이 유리문을 내리려고 악전고투하는 모습을, 마치 영원히 성공하지 못하게 빌기라도 하는 듯한 냉혹한 눈으로 바라보고 있었다. 그런데 잠시 후 어마어마한 소리를 내며 기차가 터널로 들어가는 동시에, 여자아이가 열려던 유리문이 드디어 쿵 하고 아래로 떨어졌다. 그러자 그 네모난 구멍에서, 검댕을 푼 듯한 거무튀튀한 공기가 순식간에 답답한 연기가 되어 객실 안으로 자욱이 흘러들어 오기 시작했다. 원래 기관지가 좋지 않은 나는 손수건을 얼굴에 갖다 댈 겨를도 없이 그 연기를 온통 얼굴에 뒤집어쓴 바람에 거의 숨도 쉬지 못할 만큼 콜록대야 했다. 하지만 그 아이는 나에게는 신경도 쓰지 않는다는 듯 창밖으로 고개를 내밀고는, 어둠을 내뿜는 바람결에 틀어 올린 귀밑머리를 흩날리며 기차가 나아가는 쪽을 가만히 지켜보고 있었다. 매연과 전등 불빛 속에서 그 모습을 바라보고 있던 바로 그때, 창밖이 순식간에 환해지면서 흙냄새와 마른풀 냄새와 물 냄새가 차갑게 흘러들어 오지 않았더라면, 겨우 기침이 멎은 나는 알지도 못하는 그 여자아이를 다짜고짜 꾸짖어서라도 원래대로 창문을 닫게 했을 것이 분명했다.

하지만 기차는 그때 이미 무사히 터널을 빠져나와, 마른풀이 가득한 산과 산 사이에 있는 어느 가난한 마을의 변두리 건널목을 막 지나려는 참이었다. 건널목 근처에는 하나같이 초라한 초가집과 기와집이 너저분하게 다닥다

닥 붙어 있고, 아마도 건널목 파수꾼이 흔드는 희부연 깃발만이 나른한 듯 해 질 녘 어스름을 아른거리게 하고 있었다. 드디어 터널을 나왔나 싶었을 때, 그 쓸쓸한 건널목의 울타리 너머에, 볼이 빨간 남자아이 셋이 옹기종기 모여 있는 것이 보였다. 아이들은 다들 흐린 하늘에 짓눌리기라도 했나 싶을 만큼 하나같이 키가 작았다. 그리고 그 마을 변두리의 음산한 풍경을 닮은 색의 옷을 입고 있었다. 아이들은 기차가 지나가는 것을 쳐다보며 한꺼번에 손을 들어 올리더니, 애처로운 목을 한껏 젖히며 뭔지 모를 고함소리를 열심히 질러댔다. 그런데 그때였다. 창밖으로 몸을 반쯤 내민 그 여자아이가 부르튼 손을 불쑥 내밀어 힘껏 좌우로 흔드는가 싶더니, 순간 가슴이 두근거릴 정도로 따스한 햇빛 색으로 물든 귤이 대여섯 개쯤, 기차를 배웅하는 아이들 위로 후두두둑 하늘에서 떨어져 내렸다. 나는 나도 모르게 숨이 멎었다. 그리고 그 순간 모든 것을 알게 되었다. 그 여자아이, 아마도 이제부터 남의 집살이를 하러 가는 그 여자아이는 품속에 넣어 둔 몇 개의 귤을 창밖으로 던져, 일부러 건널목까지 배웅 나온 남동생들의 고마움에 보답한 것이다.

어스름이 깔린 마을 변두리의 건널목과, 작은 새처럼 함성을 지르던 세 명의 아이들, 그리고 그 위로 어지러이 떨어지는 선명한 귤들의 색, 그 모든 것이 차창 밖에서 눈 깜짝할 새도 없이 지나갔다. 하지만 내 마음속에는 애처로울 만큼 또렷이 그 광경이 새겨졌다. 그리고 거기서 뭔가 정체를 알 수 없는 명랑한 기분이 솟구쳐 오르는 것이 느껴졌다. 나는 가슴이 벅차 고개를 들고 마치 딴사람을 보듯이 그 여자아이를 지켜보았다. 그 아이는 어느새 다시 내 앞자리로 돌아와 온통 튼 뺨을 연두색 털실 목도리에 또다시 파묻은 채, 큼직한 보따리를 껴안은 손에는 삼등칸 열차표를 꼬옥 쥐고 있었다…….

나는 그때 처음으로, 뭐라 말할 수 없는 피로와 권태를, 그리고 불가해하고 하등하며 지루한 인생을 조금이나마 잊을 수 있었다.

(1919년)

아쿠타가와 류노스케(芥川龍之介) 1892~1927

소설가. 〈라쇼몬〉, 〈코〉, 〈지옥변〉, 〈덤불 속〉 등 수많은 걸작 단편을 남겼다. 도쿄대학 재학 중 나쓰메 소세키의 문하로 들어가 쓴 단편 〈코〉가 소세키의 극찬을 받으며 문단에 이름을 알리게 되었다. 삶에 대한 회의, 미래에 대한 불안, 잦은 발병 등으로 인해 서른다섯 살에 스스로 생을 마감했다.
1935년에 그의 업적을 기려 제정된 아쿠타가와 상은 일본의 가장 저명한 문학상 중 하나이다.

연말의 하루

아쿠타가와 류노스케

…… 나는 뭔지 알 수 없는 잡목이 자란 쓸쓸한 벼랑 위를 걸어갔다. 벼랑 바로 아래에는 연못이 있었다. 연못 가장자리에는 물새 두 마리가 헤엄치고 있었다. 두 마리 다 옅은 이끼가 낀 돌과 비슷한 색의 물새였다. 나는 딱히 그 물새가 신기하다는 생각은 하지 않았다. 하지만 날개가 너무도 선명하게 보이는 것이 꺼림칙했다. ——

—— 나는 이런 꿈을 꾸다가 덜커덩덜커덩하는 소리에 잠이 깼다. 그것은 서재 옆방의 유리문에서 나는 소리 같았다. 나는 신년호 작업을 하던 중 서재에서 잠이 들었다. 잡지사 세 곳과 약속한 작품 세 편이 다 만족스럽지 못했다. 하지만 어쨌든 마지막 작업까지 오늘 새벽녘에 마무

리 지을 수 있었다.

이부자리 끄트머리 쪽 장지에는 대나무 그림자가 어른어른 비치고 있었다. 나는 벌떡 일어나 소변을 보러 갔다. 요즘 들어 소변에서 이렇게 김이 난 적이 없었다. 나는 변기 앞에 서서 오늘은 평소보다 춥겠군 하고 생각했다.

이모와 아내는 방 앞 툇마루에서 유리문을 부지런히 닦고 있었다. 덜커덩덜커덩하던 것은 그 소리였다. 소매 없는 겉옷을 껴입은 이모는 양동이에서 걸레를 짜며 조금은 나를 놀리듯이 "너, 벌써 12시야" 하고 말했다. 정말로 12시였다. 복도 끝의 거실에는 어느새 낡은 화로 앞에 점심상까지 차려져 있었다. 그리고 아내는 둘째 다카시에게 우유와 토스트를 먹이고 있었다. 하지만 나는 습관처럼 아침 같은 기분에, 인기척 없는 부엌으로 세수를 하러 갔다.

아침 겸 점심을 먹고, 나는 서재에 놓인 고타쓰* 안에 들어가 두세 종류의 신문을 읽기 시작했다. 신문 기사에는 회사의 보너스와 하고이타** 판매가 화제가 되고 있었다. 하지만 나는 조금도 기운이 나지 않았다. 나는 작업을 끝낼 때마다 이상하게 늘 힘이 빠지곤 했다. 그것은 잠자

* 숯불이나 전기 등의 열원 위에 틀을 놓고 이불을 덮는 난방기구.
** 그림을 그려 넣은 나무판에 손잡이가 달린 전통 공예품.

리를 함께하고 난 후의 피로처럼 어찌할 도리가 없는 것이었다. ……

K군이 찾아온 건 2시 전이었다. 나는 K군을 고타쓰가 있는 방으로 불러 이야기를 했다. 줄무늬 양복을 입은 K군은 원래 중국 펑톈의 특파원이었다가 지금은 본사에서 근무하는 신문기자였다.

"어떻습니까? 시간이 괜찮으면 나가실까요?"

이야기가 끝났을 때쯤, 가만히 집에 틀어박혀 있으려니 아무래도 답답한 기분이 들었다.

"예, 4시까지는 괜찮습니다만. …… 어디 가실 곳이라도 있습니까?"

K군이 조심스럽게 되물었다.

"아니요. 어디든 좋습니다."

"그럼 오늘, 묘지는 안 될까요?"

K군이 말한 묘지는 나쓰메 선생의 묘였다. 나는 벌써 반년쯤 전에 선생의 애독자인 K군에게 묘지를 알려 주겠다고 약속했었다. 연말에 성묘를 한다 — 나는 그것이 딱히 이상하다는 생각은 들지 않았다.

"그럼 묘지로 갑시다."

나는 곧바로 외투를 걸치고 K군과 함께 집을 나섰다.

날씨는 추웠지만 맑았다. 좁은 도자카 길을 오가는 사

람도 평소보다 많아 보였다. 설날에 대문 앞에 세워 둘 소나무나 대나무 장식이 '다바타 청년단 사무소'라고 쓰인 판자 지붕의 오두막 옆에 기대어져 있었다. 이런 동네 풍경을 보고 있으니 나는 어릴 적 연말이 되면 느꼈던 기분이 되살아나는 것 같았다.

우리는 잠시 기다린 후 고코쿠지 절 방향의 전차를 탔다. 전차는 생각보다 붐비지 않았다. K군은 외투 깃을 세운 채, 얼마 전 나쓰메 선생의 단자쿠* 한 장을 겨우 손에 넣었다는 이야기를 했다.

그런데 후지마에를 지났을 즈음, 전차 중간쯤에 있는 전구 하나가 별안간 떨어지더니 산산조각이 났다. 그곳에는 얼굴도 옷차림도 좋지 않은 스물너덧 살쯤 되는 여자가 한 손에 큰 보따리를 들고 다른 한 손으로 손잡이를 붙잡고 있었다. 전구가 바닥에 떨어지면서 그녀의 앞머리를 스친 것 같았다. 그녀는 묘한 표정을 짓더니 전차 안의 사람들을 둘러보았다. 그것은 사람들의 동정을, 적어도 사람들의 주의만큼은 끌려고 하는 얼굴이 분명했다. 하지만 다들 말이라도 맞춘 듯 그녀에게 완전히 냉담했다. K군과 이야기하면서 나는 왠지 맥이 빠진 듯한 그녀의 얼

* 글이나 그림이 실려 있는 가늘고 긴 종이.

굴에서 우스꽝스러움보다는 오히려 덧없음을 느꼈다.

우리는 종점에서 전차를 내려, 설날 장식품을 파는 가게가 들어선 동네를 걸으며 조시가야의 묘지로 향했다.

은행나무 잎이 다 떨어진 묘지는 오늘도 변함없이 호젓했다.

폭이 넓은 중앙의 자갈길에도 성묘하는 사람은 보이지 않았다. 나는 K군에 앞장서서 오른쪽 샛길로 꺾어 들어갔다. 샛길에는 홍가시나무 울타리와 붉게 녹슨 철책이 쳐 있고, 그 안쪽에 크고 작은 묘가 줄지어 있었다. 그런데 아무리 걸어가도 선생의 묘가 보이지 않았다.

"하나 더 앞쪽 길이 아닐까요?"

"그런지도 모르겠군요."

나는 그 샛길을 되돌아가면서 매년 12월 9일*에는 신년호 작업에 쫓기느라 선생의 성묘를 거의 하지 못한 것을 떠올렸다. 하지만 몇 번 오지 않았다고 해서 묘지 자리를 모른다는 게 나로서도 믿기지 않았다.

그다음에 있는 조금 더 넓은 샛길에도 묘가 없기는 마찬가지였다. 우리는 이번에는 발길을 돌리는 대신 울타리 사이에서 왼쪽으로 돌았다. 하지만 묘는 보이지 않았다.

* 나쓰메 소세키의 기일.

그뿐 아니라 내가 기억하고 있던 몇몇 공터조차 보이지 않았다.

“물어볼 사람도 없고…… 큰일이군요.”

이렇게 말하는 K군의 말에서 나는 냉소에 가까운 것을 분명히 느꼈다. 하지만 알려 주겠다고 말한 건 내 쪽이니까 화를 낼 수도 없었다.

우리는 할 수 없이 은행나무를 표지 삼아 한 번 더 옆길로 들어갔다. 하지만 그곳에도 묘는 없었다. 나는 당연히 조바심이 일었다. 그러나 그 밑바닥에 깔린 것은 묘하게 쓸쓸한 마음이었다. 나는 어느새 외투 안쪽에 나 자신의 체온을 느끼며 예전에도 이런 감정이 들었던 것을 떠올렸다. 그것은 내가 어릴 적에 어떤 골목대장에게 괴롭힘을 당하고도 울지 않고 참으며 집에 돌아왔을 때 들었던 심정이었다.

몇 번이나 같은 샛길을 들락날락하던 끝에, 나는 붓순나무 향을 피우고 있던 묘지 청소부에게 길을 물어, 선생의 커다란 묘지 앞에 겨우 K군을 데려갔다.

묘지는 전에 왔을 때보다 훨씬 더 오래된 느낌이 들었다. 게다가 묘지 주변의 땅도 서리 때문에 거칠어져 있었다. 누군가 9일에 바친 듯한 겨울 국화와 남천나무 꽃다발 외에는 왠지 친근함이 느껴지지 않았다. K군은 굳이 외투를 벗고 정중히 묘에 절을 했다. 하지만 나는 아무리 생각해도 이제 와서 아무렇지도 않다는 듯 K군과 함께 절을 할 용기는 나지 않았다.

"이제 몇 년이 되나요?"

"딱 9년이 되는군요."

우리는 그런 이야기를 하면서 고코쿠지 앞의 종점으로 돌아갔다.

K군과 함께 전차를 타고 나는 혼자 후지마에에서 내렸다. 그리고 동양문고에서 일하는 친구를 찾아갔다가 해 질 녘에 도자카에 도착했다.

도자카의 거리는 그럴 시간이기도 해서인지 아까보다 더 북적거렸다. 하지만 고신도를 지나자 인적도 점점 드물어지기 시작했다. 나는 몸을 옴츠린 채 발끝만 쳐다보듯이 바람 부는 거리를 걸어갔다.

그때 묘지 뒤쪽의 하치만자카 언덕 아래서 수레를 끄는 남자 하나가 손잡이에 손을 걸치고 쉬고 있었다. 수레는 얼핏 보았을 때 고깃집 수레 같았다. 그런데 가까이 다가가서 보니, 도쿄태반회사*라고 쓰여 있었다. 나는 뒤에서 말을 걸며 쭉쭉 그 수레를 밀어 주었다. 밀어 주면서 조금

* 출산 후의 태반 등을 처리하는 회사.

은 더럽다는 기분이 든 것은 틀림없었다. 하지만 힘을 내는 것만으로도 살 것 같은 기분이 든 것도 틀림없었다.

북풍이 이따금 긴 언덕 위에서 마주 보며 불어왔다. 그때마다 묘지의 나무들도 잎이 떨어진 가지를 솨아 하고 울게 했다. 나는 이런 어두침침한 속에서 묘한 흥분을 느끼며 마치 나 자신과 싸우기라도 하듯 힘껏 수레를 밀며 걸어갔다. ……

(1926년)

연말

구보타 만타로

아쿠타가와 군이 쓴 〈연말의 하루〉라는 작품이 있다. 연말에 어느 신문사 직원을 나쓰메 선생의 묘로 안내하는데, 길을 잘못 들었는지 가도 가도 묘가 나오지 않았다. 묘지 청소를 하는 사람에게 물어 결국은 찾았지만, 그때는 이미 너무 애를 쓴 바람에 진이 다 빠져 버렸다. 얼마 있다가 그 사람과 헤어지고 혼자서 터벅터벅 다바타의 집으로 돌아가는데, 묘지 뒤쪽의 하치만자카 언덕에서 마침 그 언덕을 오르고 있는 태반 회사의 수레를 보았다. 그는 축 처진 자신의 마음을 북돋우기 위해 억지로 힘을 내며 쭉쭉 그 수레를 뒤에서 밀어 주었다…….

이것이 그 작품의 줄거리이다.

"북풍이 이따금 긴 언덕 위에서 마주 보며 불어왔다. 그때마다 묘지의 나무들도 잎이 떨어진 가지를 쇄아 하고 울게 했다. 나는 이런 어두침침한 속에서 묘한 흥분을 느끼며 마치 나 자신과 싸우기라도 하듯 힘껏 수레를 밀며 걸어갔다. ……"

이 작품은 이런 서글픈 결말로 끝이 난다.

열 장도 되지 않을 것 같은 소품이지만 내가 좋아하는 작품이다. 좋아한다는 의미는 언제까지나 마음에 남는 그리운 작품이라는 말이다. 1925년 12월에 썼으니까 그는 이 글을 쓰고 나서 얼마 후 〈점귀부〉, 〈겐카쿠 산방〉에 이어 〈갓파〉를 쓴 것이다. 그리고 그 후, 그는 죽었다. …… 어쩌면 그때, …… 이미 그때 그는 죽음을 의식하고 있었는지도 모른다. "싸우기라도 하듯 힘껏 수레를 미는" 그의 모습은 너무도 비참하다. 흐린 하늘 아래, 휘몰아치는 바람 속에서 어떻게 하면 자신을 단단히 붙들 수 있을까, 어떻게 하면 자신의 존재를 확인할 수 있을까? …… 울려고 해도 이제는 눈물이 다 말라 버린 해협의 공허한 눈을 들고, 그저 멀리 앞길을 지켜보는 그의 빰의 납과 같은 차가움이여…….

게다가 그는 그런 자신의 괴로움을 끝까지 똑똑히 확인하려고 했다. 끝까지 바르게 전하려고 했다. 그 당시 〈신초〉에서 편집을 하고 있던 사사키 지유키가 이런 말을 한 적이 있다. 그 하치만자카 언덕을 힘겹게 오르던 수레, 그가 있는 힘껏 뒤를 밀던 수레, 거기에 도쿄태반회사라는 글자를 써넣을 때까지 그는 그 한 줄을 몇 번이나 고쳐 썼는지 모른다고 했다. 태반 회사의 수레라는 말을 쓰고서야 그는 비로소 자기 자신을 이해한 것이다. …… 나는 이 이야기를 들었을 때, 몸속이 차가워지는 것을 느꼈다.

"어떻습니까? 시간이 괜찮으면 나가실까요?"

〈연말의 하루〉 안에서 그는 신문사 직원에게 이렇게 말한다. …… 나는 생각이 났다. 나도 종종 그에게서 그런 말을 들었다. 그리고 종종 그와 함께 목적도 없이 산책을 하고는 했다.

"어떻습니까? 밥이라도 먹으러 갈까요?"

어느 날이었다. 언제나처럼 나는 그의 서재에 앉아 있었다. 그리고 언제나처럼 한두 시간 동안 우리는 두서도 없이 이런저런 수다를 떨었다. 그때, 갑자기 뭔가 생각이라도 난 듯이 그가 말한 것이다.

"하아……."

나는 망설였다.

"갑시다. 가요. …… 괜찮아요, 그대로라도……."

왜냐하면 그때 나는 평상복차림이었기 때문이다. 평상

복 위에 외투만 걸치고 집을 나온 것이다.

"뭐, 그럼……."

나도 그대로 헤어지고 싶지는 않았다. 결국 찬성하고 함께 밖으로 나갔다.

도자카로 나가서 전차를 탔다. 우에노에서 내려 연못가에 있는 어느 요릿집으로 갔다. '어느'라고 말한 것은 일부러 이름을 말하지 않는 게 아니다. 잊어버린 것이다. 정오를 조금 지난 그 집의 고요함…… 예를 들면 겨울비의 어두움을 지닌 고요함에 감싸여 우리는 썰렁한, 아무리 봐도 두 사람에게는 지나치게 넓은 느낌의, 홍이 깨질 것 같은 방 한가운데에 마주 앉았다.

얼마 후 요리상이 차려졌다. 나에게 잔을 권하며 그는 탄산수 안에 식염을 넣어 마셨다. 우리는 또다시 두서도 없이 수다를 떨었다.

왜 하필 이런 이야기를 여기에 꺼냈는지 독자는 의아해할지도 모른다. 게다가 이날의 일은 언젠가 한 번, 늘 옷깃을 댄 속옷을 입었던 고상한 그를 이야기하며 이미 말한 적이 있다. 그런데도 새삼스레 또 내가 이 이야기를 꺼내는 것은 그때가 연말이었기 때문이다. 게다가 새해를 위한 일을 다 끝낸 후였기 때문이다. …… 그 방 한쪽에 열려 있는 창에 새로 바른 장지 밖으로 멀리 내려다보이는 마을, 집집마다 촘촘히 세워진 조릿대…… 그것은 언제 떠올려도 그리운 추억이…… 봄을 기다리던 어린 시절의 추억이 즐겁게 우리 마음속에 되살아난 모습이었다.

1924년의 12월이었다. 다시 말해 그가 〈연말의 하루〉를 쓰기 전 해의 일이다. 나는 그것을 생각하고 있다. ……

그 요릿집을 나와서 우리는 어슬렁어슬렁 언덕길을 올라갔다. 헌책방을 둘러보기도 하고 아오키도에 들르기도 했다. 아오키도에 들른 것은 내가 그 집의 홍차가 도쿄에서 제일 맛있는 홍차라고 한 말에 그가, 아닙니다, 홍차가 아니라 커피예요, 그 집은 커피가 도쿄에서 제일 맛있어요, 하고 주장했다. 그러면 한번 시험해 보자고 해서 그 집의 어두운 계단을 오른 것이다.

그의 말을 존중해서 나는 커피를 마셨다. 하지만 결코 그가 말한 정도는 아니었다. 늘 마시는 홍차가 더 나았다. 나는 솔직하게 그렇게 말했다.

"음, 오늘은 별로 맛이 없군."

그는 순순히 인정했다. 그리고 그런 건 어찌 됐든 상관없다는 듯 접시 위의 과자를 먹어 치웠다. …… 나는 뜻밖에도 그의 굉장한 먹성에 놀랐다. …… 어쨌든 요릿집에서 나온 지 아직 한 시간도 지나지 않았던 것이다. ……

아오키도를 나와 오이와케 쪽으로 또 걸었다. 고등학교

앞에 있는, 내가 아는 문방구점에 들어갔다. 내가 물건을 사고 그도 오아나 류이치 군의 여동생에게 줄 선물을 샀다. 그리고 그곳을 나와 좌우로 갈라 헤어졌다. …… 내 기억이 잘못되지 않았다면, 섣달의 일찍 저무는 해는 그때 이미 먼 곳을 밝게 비추고 있었다.

하지만 그렇다고 해도 그 강렬한 식욕, 밝은 마음, 거리낌 없는 표정. …… 언제, 왜, 어떻게 발을 헛디디는 바람에 그는 그 모든 것을 잃어버렸을까?…… 단 일 년. …… 단 일 년 사이에…….

…… 나는 오늘 아침부터 이 글을 쓰면서 집에 있다. 요즘의 내게는 드문 일이다. 왜냐하면 요즘의 나는 하루 중 대부분의 시간을 밖에서 바쁘게 보내고 있기 때문이다. 이런 생활이 나를 기다리고 있다고는, 비록 한때 잠깐이라 할지라도 그도 예상하지 못했을 것이다. 나도 생각지도 못했다. 인간이란 언제 어떻게 될지 알 수 없는 것이다. …… 만약 그도 지금까지 살아 있었다면? ……

밖에는 비가 내리고 있다. 낙엽을 적시며 그칠 기색도 없이 계속해서 내리고 있다. …… 새로 바른 장지, 새로 깐 다다미, 올해도 이제 일주일도 남지 않았다.

(1931년)

구보타 만타로(久保田万太郎) 1889~1963

소설가, 극작가, 하이쿠 시인. 시와 소설 외에도 가부키 극본과 연출 등 다방면에서 활동했다. 일본연극협회 회장을 역임하는 등 문단과 극단 양쪽 모두에서 큰 역할을 했다. 에도 시대의 정취가 물씬 느껴지는 작품이 많은 것이 특징이다.
아쿠타가와 류노스케를 중심으로 도쿄의 문인들이 모여 살던 다바타 문인 마을에 거주하면서 아쿠타가와와 친하게 지냈다. 아쿠타가와는 구보타의 하이쿠를 '도쿄가 낳은 탄식의 하이쿠'라고 평하기도 했다.

봄은 깊어

구보타 만타로

언젠가 이소베라고 하는 곳에 간 적이 있다. 조슈에 있는 그 온천…….

스물아홉 살의 봄으로 기억한다. 아직 고마가타에 살고 있던 때다.

꼴이 말이 아니어서 그때의 형편은 말하지 않겠다. 아무튼 그 무렵의, 이제 와서 생각해 보면 덧없는 이야기다. 종잡을 수도 없는 꿈같은 이야기를 믿으며, 나는 바보처럼 미련을 못 버린 채 하루하루를 보내고 있었다. 쓸쓸하게, 따분하게. 뭘 하려는 의욕도 없이, 음침함 그 자체와 같은 하루하루를 보내고 있었다.

그러다 문득, 도쿄에 있는 것이 싫어졌다. 어디론가 떠나야겠다. 평생 어디에도 나가 본 적이 없는 놈이 밑도 끝도 없이 그런 생각을 했다.

그래서 당장 그렇게 하기로 했다. 밖에 나간 김에 여행 안내서를 사 왔다.

이소베를 선택한 것은 시마자키 도손 선생의 소설《싹이 트다》에 그곳이 나오기도 했고, 또 오카모토 기도 씨가 얼마 전 그곳에 잠시 머물렀다는 말을 들었기 때문이다. 시마자키 선생과 오카모토 씨의 취향에 맞는 곳이라면, 뭔가 문제가 있다고 해도 괜찮을 것이다. 혼자서 그렇게 마음을 먹은 데는, 안나카 마을인지 마쓰이다 마을인지 모르겠지만, 어쨌든 사이유테 엔초*의 소설《하루나산의 매화 향기》에 나오는, 불이 꺼진 듯한 쓸쓸한 광경을 그린 장면이 나도 모르게 눈물짓게 했기 때문이다…….

기차 안에서 읽을 책 두세 권, 원고지, 만년필, 그밖에 소지품 한두 가지, 짐이라고는 그게 전부였다. 배낭 하나로 충분했다. 그걸 메고 4월 말 흐린 오후, 나는 멍하니 혼자서 우에노역을 떠났다. 다카사키에서 기차를 갈아타고 5시쯤 이소베에 도착했다.

그곳에 내린 사람은 나뿐이었다. 표를 건네주고, 생각

---

* 에도 시대의 만담가.

했던 것보다 더 작은, 인기척 없는 텅 빈 정거장을 나오니, 울창한 벚꽃나무의 어린잎이 비를 머금은 음울한 냄새가 조용히 내게 다가왔다. 주변은 벌써 등불이 필요할 정도로 저물어가고 있었다.

"호라이칸(鳳來館)으로 가 주세요."

나를 보고 다가온 인력거꾼 두세 명 중 한 사람에게 말했다.

호라이칸이 어떤 곳인지 나는 전혀 몰랐다. 그저 이소베에서 가장 오래되고 가장 큰 여관이라는 걸 기차 안에서 들었을 뿐이다. 그것도 직접 물어서 들은 게 아니라, 오미야에서 차를 탄 두 노인이 그 여관에 대해 이야기를 나누는 걸 우연찮게 옆에서 들었던 것뿐이다.

그래서 그것을 보기 전까지는 호라이칸의 한자가 '蓬來館'이라고만 생각했다. '鳳來館'이라고는 꿈에도 생각하지 못했다.

인력거는 양쪽으로 집들이 들쭉날쭉 지루하게 이어진 돌길을 덜컹거리며 내려갔다. 길을 따라 물이 흘러가는 모습이, 그렇게 생각하고 보니, 왠지 오래된 온천마을 같은 느낌을 자아내고 있었다. 하지만 거기에는 꽃의 풍치도 남아 있지 않았다. 10분쯤 뒤, 나는 크고 통일감 없는, 너무나도 여관 같은 느낌으로 지어진 3층 건물의 너저분한 현관 앞에 내렸다.

'이런 곳인가?'

보자마자 나는 그런 생각이 들었다. 기대와는 심하게 동떨어진 느낌이었다. '가장 오래되고 가장 크다'라는 의미를 내 멋대로 해석했던 나는 처음에 이것과는 전혀 닮지 않은 모습을 상상했던 것이다.

안내를 받은 곳은 3층의 어느 방이었다. 거기까지 가는 동안 한동안 어두침침한 복도를 오른쪽으로 꺾기도 하고, 왼쪽으로 돌기도 했다. 그나마 만족스러웠던 건 손님이 적었다는 것인데, 나란히 붙은 옆방에도 사람이 있는 듯한 기색은 없었다. 지배인이 겉치레로 인사하고 가 버린 뒤, 나는 장지문 밖으로 나가 난간 아래를 내려다보았다. 현관 앞 정원 저 멀리서 반짝하고 떠오른 등불 하나의 조용하고 무심한 색이 번민에 찬 도쿄로 나를 부르고 있었다.

저녁 어스름이 짙게, 눈물이 날 것처럼 깔려 있었다.

온천욕을 하고 나서, 쓸데없이 접시만 줄줄이 늘어놓은 밥상 앞에 앉았다. 강여울 소리가 빗소리처럼 가까이서 들려왔다. 나는 미적지근한 술을 참고 마셨다.

그때 아래층의 좀 떨어진 방 쪽에서 "카추샤, 아름다워라, 이별의 괴로움" 하고 여럿이서 노래를 부르기 시작했다. 종업원에게 물어보니, 신슈의 소학교 선생들 모임이 있다고 했다.

그날 밤, 일찍 잠든 나는 이튿날 아침 일찍 잠이 깼다. 화장실이 어디인지 몰라 한동안 이불 속에서 뒤척이다가 더는 못 참고 일어났다. 창의 덧문을 여니, 어젯밤 그렇게 가까이서 들렸던 강물 소리가 조용히 새침하게 물러가 있었다.

세수도 할 겸 온천탕으로 내려갔다. 어젯밤은 그렇게까지 생각하지 않았는데, 밝은 데서 보니 욕탕도 낡고, 온천물 색도 몹시 탁했다. 어젯밤에는 아무도 없던 탕 안에서 생판 모르는 사람들이 끼리끼리 모여 큰 소리로 이유도 없이 떠들고 있었다. 말투로 짐작건대 도쿄 사람이 아니라는 건 바로 알 수 있었다.

몸도 닦는 둥 마는 둥 하고 나는 방으로 돌아갔다.

아침 식사도 어젯밤에 뒤지지 않을 만큼 반찬 가짓수가 많았다. 구석구석까지 갖가지 접시가 놓여 있었다. 하지만 너무 화려한 색의 생선회, 군데군데 딱딱해진 튀김, 냉수처럼 차가운 국물 요리, 온통 그런 음식뿐인 상차림 어디에다 젓가락을 대야 할지 몰랐다. 내 마음은 착 가라앉았다.

식사를 끝내고 나는 밖으로 나갔다. 나란히 놓인 돌 사이로 통나무가 보이는 시골 취향의 정원에 울긋불긋 핀 철쭉을 보면서 문을 나섰다. 발길 가는 대로, 어제 인력거를 타고 지나온 길을 거슬러 정거장 쪽으로 걸어갔다. 하늘은 어제와 똑같이 흐렸다.

나는 우체국을 찾았다. 물어볼 것도 없이 금방 알 수 있었다. 전보를 치려고 안으로 들어가니, 창구에 마흔 살쯤의 풍채 좋고 수염을 기른, 어디 여관에라도 묵고 있는 듯한 옷차림을 한 신사가 나보다 먼저 와서 서 있었다.

'음?'

나는 나도 모르게 그에게 눈길이 갔다. 안 보는 척하며 찬찬히 바라보았다. 어제 헤어지고 온 '도쿄'의 냄새가 그만큼 내게는 새삼스러웠다.

우체국을 나와서 우스이 강 쪽으로 걸었다. 구름이 낀 채 열은 햇살이 비쳤다. 물소리가 점점 커지면서 집들이 사라지더니, 하얗고 차갑게 펼쳐진 강가의 풍경이 이윽고 내 눈앞에 펼쳐졌다.

이야기는 이게 전부다. 그날 저녁, 나는 그곳을 떠나 도쿄로 돌아왔다.

뭐야, 밑도 끝도 없이. 독자들은 아마 이렇게 말할 것이다. 뭔가 할 말이라도 있다는 듯한 글머리에 이끌렸던 독자는 아마 그렇게 말할 것이다. 하지만 이게 전부임이 틀림없다는 건 어쩔 수가 없다.

만약 삼사 년 전이었다면, 나는 내친김에 이걸 소설로 썼을 것이다. 소설까지는 안 되더라도, 우스이 강의 물소리가, 깊은 밤, 잠이 깬 내 머리맡에서 너무나도 슬프게 울렸던 것을 산새의 꼬리처럼 길게 하소연했을 것이다. 안타깝게도, 나는 이제 그런 정성은 일찌감치 잃어버렸다.

……

말하자면, 시마자키 선생과 오카모토 씨의 취향에 맞는 곳이라면, 하고 생각했던 것부터 잘못이었다. 시마자키 선생이기에, 오카모토 씨이기에, 자신에게 어울리는 것도 찾아낸 것이다. 서른 살도 안 된, 풋풋하게 젊은, 아직 생각이 정해지지도 않은, 온통 조바심으로 가득한 나에게는 처음부터 무리였던 곳이다. 너무도 건조하고, 너무도 가라앉은 — 예를 들면, 바람이 멎은 묘지의 들판처럼 내게는 외로운 곳이었다.

딱 한 번의 낮과 한 번의 밤. 시간으로 치면 나는 스물네 시간도 그곳에 머물지 않았다. 하지만 내게는 마치 네댓새쯤 머문 것만큼 쓸쓸한 느낌이 들었다. 할 수 있으면 열흘이나 보름쯤 일할 생각으로 가져간 원고지가 고스란히 들어 있는 가방을 둘러메고 그날 밤 우에노역 개찰구를 빠져나왔을 때, 그 주변의 내리쬐는 듯이 환한 등불 빛의 색이 나와는 아무 상관도 없다는 듯이 차가웠다.

온천 마을의
강가에서 끝나는
밤 추위인가

그로부터 사오 년이 지나, 어떤 사람의 집에서 '밤 추위'라는 제목으로 하이쿠를 지어야 했을 때, 나는 이런 하이쿠를 지었다. 말할 것도 없이 이소베를 떠올린 것이다. 그때가 4월 말이었는데도 불구하고, 내게는 시간이 흐를수록 왠지 모르게 그 추억이 가을 색으로 쓸쓸히 물들어 간다.

(1924년)

설날

구보타 만타로

"도비타 씨, 결국 우리 집에서 해를 넘겼네요."

책상 위의 시계가 12시를 가리켰을 때, 나는 화로 곁에 우두커니 앉아 잡지를 보고 있는 도비타 씨에게 말했다. 도비타 씨는 고개를 들고 어쩔 수 없다는 듯이 웃었다.

뭘 어떻게 해 봐도 춥다. 나는 가스난로의 불을 세게 피우고 또다시 원고지 앞으로 향했다.

그러고는 두 시간. — 나는 펜을 놓았다.

"많이 기다리셨습니다……" 하고 완성된 원고를 도비타 씨 앞에 놓았다. 그 조금 전에 나는 아래층에서 뜨끈한 우동을 가져왔다.

"그럼 가 보겠습니다……."

도비타 씨는 조금 있다가 일어섰다.

"괜찮습니까? 전차는……?"

"괜찮습니다. 심야 운행이에요."

"국철도요?"

"예, 국철도."

도비타 씨는 시부야로 돌아가야 했다.

봄이 되면 하루 이틀에 걸쳐 바로 쓰겠다고, 낮에 요시이 군의 집에서 만났을 때도 말했는데, 도비타 씨는 여간해서 받아 주지 않았다. 오늘 밤 안으로 뭐가 됐든 하루치 분량이라도 괜찮으니까 써서 달라, 10시에 반드시 가지러 가겠다, 하고 끝까지 억지를 부렸다. 요시이 군의 집에 갔을 때 나는 별일이 없으면 요시이 군과 함께 섣달그믐날의 긴자 거리라도 걸을 생각이었다. 하지만 이렇게 된 이상, 바로 집으로 돌아갈 수밖에 없게 되었다. 그래서 해 질 무렵 요시이 군의 집을 나와, 도비타 씨와 둘이서 별이 반짝이는 허전한 밭길을 멍하니 걸었다. 신주쿠에서 도비타 씨는 시나가와로, 나는 다바타로, 그럼 나중에 보자며 헤어졌다.

도비타 씨의 전차는 괜찮았지만, 내가 타는 차는 올 때마다 꽉꽉 차 있어서 탈 수가 없었다. 불빛 어두운 음침한 플랫폼에서 나는 한참을 서 있었다. 구두 앞코가 차가워

지면서 나는 말할 것도 없이 우울해졌다. 까맣게 굳은 인파 속에서《연예주보》사의 아베 씨가, 어이, 하고 언제나처럼 다정하게 웃는 얼굴로 다가왔다.

나는 상대방이 생긴 것에 얼마쯤 기분이 나아졌다. 다음 전차가 도착했을 때, 용감한 아베 씨의 뒤를 따라 나도 끼어들어 올라탔다.

다바타에서 내려 도칸산의 깜깜한 벼랑길을 또 한참 걸었다. 발밑에 마른 조릿대가 쓸쓸히 소리를 낼 뿐, 그곳에는 강아지 한 마리 지나가지 않았다.

"이것이 나의 섣달그믐이란 말인가? ― 도쿄에서 자란 나의? ……"

멀리 절벽 아랫마을에 별처럼 가득한 불빛을 보며 나는 무심코 그런 생각을 했다.

집에 오니 8시였다. 옷을 갈아입고 바로 이층의 내 방으로 올라갔다. 책상 앞에 앉아, 예전에 사메즈의 가와사키야 요릿집 뒤뜰에서 보았던 채송화 ― 언젠가는 쓰려고 마음먹었던 그것을 나는 쓰기 시작했다.

약속대로 10시에 도비타 씨가 왔다. 완성될 때까지 기다리겠다며 화로 곁에 앉았다. 그리고 네 시간 동안 내 옆을 떠나지 않았다.

그것은 나에게만 불편한 것은 아니었다. 그렇게 해야 할 만큼의 이유가 도비타 씨에게는 있었던 것이다. 설날 오후부터 느긋하게 여행을 떠나기 위해서는 어떻게든 자기가 자리를 비운 사이에 부족함이 없도록 일을 끝내 놓아야만 한다. 그래서 도비타 씨는 억지를 부리며 눌러앉은 것이다.

도비타 씨가 돌아간 후, 나는 또 따뜻한 음식을 가져왔다. 아래층에서 다들 자는 동안, 딱히 할 일도 없어 나는 4시 넘어서까지 그대로 이층에 있었다.

"이것이 나의 섣달그믐이란 말인가? ……"

나는 또 한 번 그런 생각을 했다. 짧은 시간 동안 완전히 변해 버린 내 주변을 나는 똑똑히 지켜보려고 했다.

자리에 누워 어슴푸레 잠이 들려는 사이에 잠이 깼다. 그래도 아직 7시였다. 8시까지 인력거가 오기로 한 것이 생각나 나는 바로 일어났다.

설음식도 없고 도소*도 없는 정월. 대문 앞에 소나무 장식도 세우지 않았을 정도니까 새끼줄, 풀고사리, 귤 장식 같은 건 그림자도 비치지 않는다. 그저 떡국 한 그릇. 싫어하는 음식이라 나는 여느 설날 때처럼 그냥 젓가락만 갖다 댔다.

* 설날에 복과 장수를 기원하며 마시는 술.

인력거가 와서, 아사쿠사의 부모님에게 가려고 일어나서 옷을 갈아입었다. 왠지 빗장이 빠져 버린 듯한 쓸쓸함을 느꼈다.

밖으로 나가니 언덕 위는 여느 때와 변함없었지만, 언덕 아래는 조릿대가 서 있고 깃발도 드문드문 펄럭이며 봄 같은 설렘이 느껴졌다.

흐릿하고 차가운, 몸에 스며들 듯한 바람은 불고 있었지만…….

인력거는 야나카를 빠져나가 조금 있다 우에노로 들어갔다. 미술학교와 동물원 쪽으로 돌았다.

동물원 앞에는 사람들이 잔뜩 서 있었다. 매표소 앞에 줄지어 서서 조용히 문이 열리기를 기다리고 있었다.

설날. — 동물원……

나는 애틋함을 — 눈물이 어릴 만큼의 애틋함을 그 사람들에게서 느꼈다.

(1923년)

생각나는 것들 28*

나쓰메 소세키

학교를 졸업하고, 고이시카와의 어느 절에서 하숙을 한 적이 있다. 그곳의 주지는 부업으로 운명을 점쳐 주는 일을 하고 있어, 어두침침한 현관 옆방에는 늘 산가지와 점대가 보였다. 처음부터 간판을 내걸고 공식적으로 하는 장사는 아니어서 그랬는지, 점을 보러 오는 사람은 많아야 하루에 네댓 명, 적을 때는 아예 점대 만지는 소리조차 들려오지 않는 밤도 있었다. 운명을 점으로 판단하는 것을 중하게 여기지 않는 나는 처음부터 그 점에서는 주지와 인연이 없었기 때문에, 그저 가끔 장지문 너머로 "그야

* 슈젠지에서 요양 중일 때 집필한 수필로 그중 스물여덟 번째 글이다.

본인이 원하는 대로 하는 편이 좋겠지요" 하고 주지가 혼담에 관해 조언하는 말을 듣거나 하는 정도일 뿐, 서로 얼굴을 마주 보고 이야기하는 일은 없이 한동안 시간이 흘렀다.

언젠가 무슨 말을 하는데 어쩌다 이야기가 관상이니 방위니 하는 주지의 영역 안으로 파고 들어가는 바람에 반쯤 농담으로, 제 미래는 어떻습니까, 하고 물으니, 주지가 눈동자를 꼼짝 않고 내 얼굴을 가만히 쳐다보더니, 그다지 나쁜 것도 없습니다, 하고 대답했다. 그다지 나쁜 것도 없다는 말은 그다지 좋은 것도 없다는 말과 마찬가지로, 다시 말해 너의 운명은 평범하다고 선언한 것이나 다름없다. 나는 도리 없이 잠자코 있었다. 그러자 주지가, 당신은 부모의 임종을 지키지 못하겠군요, 하고 말했다. 나는, 그렇습니까, 하고 대답했다. 그러더니 이번에는, 당신은 계속해서 서쪽으로 갈 상입니다, 라고 했다. 나는 또, 그렇습니까, 하고 대답했다. 마지막으로 주지는, 어서 턱수염을 기르고, 땅을 사서 집을 지으라고 권했다. 나는 땅을 사서 집을 지을 수 있는 형편이라면 댁이 있는 여기서 신세를 지지도 않았을 거라고 대답하고 싶었다. 하지만 턱수염과 땅을 사서 집을 짓는 것이 무슨 관계가 있는지 알고 싶었기 때문에, 그것만 잠깐 되물었다. 그러자 주지는 진지한 얼굴로, 당신의 얼굴을 반으로 나누면 윗부분이 길고 아랫부분이 너무 짧다, 따라서 안정적이지 않다, 그러니까 빨리 턱수염을 길러서 위아래의 균형을 맞추면 얼굴이 안정되어 흔들리지 않는다고 대답했다. 나는 내 얼굴의 이목구비에 덧붙여진 물리적이고 미학적인 비판이 내 미래의 운명을 지배한다는 식으로 쉽게 풀어낸 주지가 조금 웃긴다는 생각이 들었다. 그리고, 그렇군요, 하고 대답했다.

1년이 채 지나지 않아서 나는 마쓰야마로 갔다. 그리고 또 구마모토로 옮겼다. 구마모토에서 또 런던으로 향했다. 주지가 말한 대로 계속해서 서쪽으로 향한 것이다. 내 어머니는 내가 스물네 살 때 세상을 떠났다. 그때는 같은 도쿄에 살고 있었는데도 그만 임종의 자리에 함께 있지 못했다. 아버지가 돌아가셨다는 전보를 도쿄로부터 받은 것은 구마모토에 있을 때였다. 이것을 보면 부모의 임종을 지키지 못한다고 했던 주지의 말도 그럭저럭 적중했다. 다만 턱수염이라면 그때부터 지금까지 하루도 빠지지 않고 계속 면도를 하고 있기 때문에, 땅과 집이 과연 턱수염과 함께 내 손에 들어올지 어떨지는 아직 알 수 없다.

그런데 슈젠지에서 병으로 드러눕자마자, 빰이 까칠까칠해지기 시작했다. 그것이 대엿새가 지나자 한 가닥 한

가닥 손가락으로 집을 수 있게 되었다. 또 얼마쯤 지나니, 뺨에서 턱까지 수염으로 빈틈없이 가려지게 되었다. 주지의 조언이 17년 만에 드디어 도움이 될 것 같은 조짐을 보이며 턱수염이 자랐다. 아내는 차라리 기르는 편이 좋을 것 같아요 하고 말했다. 나도 반쯤 그럴 마음으로 연신 턱언저리를 쓰다듬었다. 그런데 며칠도 채 못 되어, 씻지도 다듬지도 못하는 수염이 기름과 때로 내 머리를 온통 뒤덮을 것 같은 지저분함에 참을 수가 없어져, 어느 날 이발사를 불러 부족하나마 누운 채로 머리 손질을 하고 얼굴에 면도기를 갖다 댔다. 그때 땅과 집을 가질 수 있는 자격을 또 깨끗이 잃어버렸다. 주변에서는 젊어졌다, 젊어졌다, 하고 연신 추켜세워 주었다. 오로지 아내만이 아유 말끔히 깎아 버렸네요, 하고 조금 섭섭한 얼굴을 했다. 아내는 남편의 병이 완쾌됨과 더불어 땅과 집도 바랐던 것이다. 나 역시 턱수염을 깎지 않아서 땅과 집이 확실히 내 손에 들어온다는 보증만 있었다면 턱수염을 그대로 놔두었을 것이다.

그 후로 수염은 늘 깎고 있다. 아침 일찍 자리에서 일어나 맞은편 삼층집 지붕과 내 방 장지문 사이로 살짝 보이는 산꼭대기를 바라볼 때마다, 미련 없이 깎여 버린 매끄러운 내 뺨을 쓰다듬으며 즐거워했다. 땅과 집은 당분간 단념했거나 아니면 노후의 즐거움으로 먼 훗날까지 남겨 둘 생각이었던 것 같다.

객지에서 꿈을 깨니, 새 한 마리 울고
밤부터 내리던 산 비, 새벽이 오니 갠다
외로운 봉우리 꼭대기 위, 외로운 소나무 색이
붉은 아침놀에 비쳐, 울적하게 환하구나

客夢回時一鳥鳴 (객몽회시 일조명)
夜來山雨曉來晴 (야래산우 효래청)
孤峯頂上孤松色 (고봉정상 고송색)
早映紅暾鬱鬱明 (조영홍돈 울울명)

(1911년)

나쓰메 소세키(夏目漱石) 1867~1916

소설가, 영문학자. 일본 문학을 대표하는 작가로 수많은 명작을 발표했다. 대표작으로 《나는 고양이로소이다》, 《도련님》, 《마음》, 《문》, 《산시로》, 《그 후》 등이 있다.
이 글은 소세키가 1910년 위장병으로 생사를 오갈 정도로 위독했을 때 슈젠지에서 요양하는 동안 그때의 심정을 담아 연재한 수필이다.

이상한 소리

나쓰메 소세키

상

설핏설핏 잠이 드는가 싶었는데 눈이 뜨였다. 그때, 옆방에서 묘한 소리가 난다. 처음에는 무슨 소리인지, 또 어디서 나는지도 확실히 알 수 없었지만, 듣다 보니, 점점 귓속에 정리된 관념이 만들어졌다. 아무튼 강판에 무 같은 것을 서걱서걱 갈고 있는 게 분명하다. 나는 틀림없이 그럴 거라고 생각했다. 그건 그렇다 치더라도 이 시각에 무엇에 쓰려고 옆방에서 무를 갈고 있는지 상상이 가지 않는다.

아직 말하지 않은 게 있는데, 여기는 병원이다. 요리하는 사람은 50미터나 떨어진 아래층 부엌이 아니면 아무도 없다. 병실에서는 취사는 물론 과자조차 금지되어 있다. 하물며 지금 이 시각에 뭣 하러 무를 가는 걸까. 이것은 분명 다른 소리가 무 가는 소리처럼 내게 들리는 게 분명하다고 마음속으로 생각했지만, 그렇다면 대체 어디서 왜 나는 걸까 생각해 보면 역시 알 수가 없다.

나는 알 수 없는 대로 내버려 둔 채, 좀 더 의미 있는 데에 내 머리를 쓰려고 해보았다. 하지만 한번 귀에 들어온 이 불가사의한 소리는, 그것이 계속해서 내 고막에 호소하는 동안 묘하게 신경을 건드려 아무리 해도 잊히지가 않았다. 사방은 쥐 죽은 듯 조용하다. 불편한 몸을 이 병동에 맡긴 환자들은 입이라도 맞춘 듯 말이 없다. 잠을 자는 건지 생각을 하는 건지, 말을 하는 사람은 한 사람도 없다. 복도를 걷는 간호사의 실내화 소리조차 들리지 않는다. 그런 가운데 이 서걱서걱 뭔가를 갈아 없애는 것 같은 이상한 울림만 신경이 쓰였다.

내 방은 두 칸을 붙여서 만들어진 특실을 병원 사정으로 둘로 나눈 것인데, 화로 등이 놓여 있는 작은방은 여느 방처럼 벽으로 둘러싸여 있지만, 이부자리가 깔린 큰방은 동쪽에 여섯 자짜리 벽장이 있고, 그 옆에는 바쇼후*를 바른 장지문이 있어, 그곳으로 드나들 수 있게 되어 있다. 그래서 이 칸막이 문 한 장을 드르륵 열기만 하면 옆방에서 뭘 하고 있는지 쉽게 알 수야 있겠지만, 남에게 그만한 무례를 굳이 범할 만큼 대단한 소리가 아닌 것은 물론이다. 마침 무더위가 더해 가는 시기여서 툇마루는 늘 활짝 열려 있었다. 툇마루는 병동을 따라 길게 쭉 이어져 있다. 하지만 환자가 툇마루 끝에서 서로를 들여다보게 되는 불편함을 피하기 위해, 일부러 방 두 개 사이에 여닫이문을 달아 칸막이로 해 놓았다. 그것은 가느다란 살을 판자 위에 열십자 모양으로 댄 멋스러운 문이었는데, 사환이 매일 아침 걸레질을 할 때는 아래층에서 열쇠를 가져와 하나하나 이 문을 여는 것이 일과처럼 되어 있었다. 나는 일어나서 문턱 위에 섰다. 그 소리는 이 여닫이문 뒤에서 나는 것 같다. 문 아래는 두 치쯤 틈이 있었지만 거기로는 아무것도 보이지 않았다.

이 소리는 그 후로도 종종 반복되었다. 어떤 때는 오륙 분 동안 계속되며 내 청각 신경을 자극할 때도 있었고, 또 어떤 때는 그 절반의 시간도 되기 전에 뚝 그쳐 버릴 때도

* 파초 섬유로 짠 천.

있었다. 하지만 그게 무엇인지는 끝내 알지 못하고 지나갔다. 환자는 조용한 남자였지만, 이따금 한밤중에 간호사를 작은 목소리로 깨웠다. 간호사는 기특한 여자로 작은 목소리로 한두 번 부르면 싹싹하고 상냥한 목소리로 "네" 하고 대답하며 바로 일어났다. 그리고 환자를 위해 뭔가를 하는 것 같았다.

어느 날 회진 차례가 옆방이 되었을 때, 여느 때보다는 꽤 시간이 걸린다 싶었는데, 이윽고 나지막한 목소리가 들려왔다. 두세 명이 의논을 하는데 좀처럼 뭔가 잘 풀리지 않는 듯한 질척한 분위기를 띠고 있었다. 그리고 잠시 후, 어차피 그렇게 빨리는 회복되지 않을 테니까요, 하는 의사의 목소리만이 또렷이 들려왔다. 그로부터 이삼일 지나 그 환자의 방에 조심조심 사람이 드나드는 기색이 느껴졌는데, 다들 자신의 움직임이 환자에게 거슬리지 않도록 조용조용 행동하는 것 같더니, 환자 자신도 어느새 그림자처럼 어디론가 사라져 버렸다. 그리고 그 이튿날 바로 새 환자가 들어오고, 입구 기둥에는 흰색으로 이름을 쓴 검은 팻말이 바뀌어 걸렸다. 그 서걱서걱하던 묘한 소리의 정체는 끝내 알아내지 못한 채 환자가 퇴원해 버린 것이다. 그러는 사이에 나도 퇴원했다. 그리고 그 소리에 대한 호기심은 그 후로 사라져 버렸다.

하

석 달쯤 지나 나는 또다시 같은 병원에 입원했다. 방은 저번과 번호 하나만 다를 뿐으로, 다시 말해 그 서쪽 옆에 있는 방이었다. 벽 하나를 사이에 둔 예전의 방에는 누가 있나 싶어 주의 깊게 살펴보니, 하루 종일 달그락 소리 하나 나지 않는다. 비어 있었던 것이다. 그리고 그 바로 옆방이 예전에 이상한 소리가 났던 곳인데, 지금 누가 있는지 알 수 없었다. 나는 그 후로 너무나 극심한 신체적 변화를 겪었고, 그것이 머릿속에 생생히 남아 떠오르며, 그동안의 과거를 흔들었던 동요가 끊임없이 현재를 향해 파문을 일으키는 탓에, 그때의 강판 소리 따위는 아예 생각할 겨를도 없었다. 그보다는 오히려 지금 병원에 입원해 있는, 나와 비슷한 운명을 지닌 환자의 경과 쪽에 더 마음이 쓰였다.

간호사에게 일등실의 환자는 몇 명인지 물으니, 세 명뿐이라고 답했다. 중병인지 물으니 중병인 것 같다고 한다. 그러고 나서 하루 이틀 후에 나는 그들의 병명을 간호사에게 확인해 보았다. 한 사람은 식도암이었다. 또 한 사람은 위암이었다. 나머지 한 사람은 위궤양이었다. 다들 오래 살지는 못한다고 합니다, 하고 간호사는 그들의 운명을 한마디로 뭉뚱그려 예언했다.

나는 툇마루에 놓인 작은 베고니아꽃을 보며 지냈다. 사실은 국화를 사려고 했는데 꽃 장수가 16관(貫*)이라고 해서 5관으로 깎아 달라고 해도 듣지 않기에 그냥 갔다가, 돌아오는 길에, 그럼 6관을 줄 테니까 달라고 해도 역시 깎아 주지 않았다, 올해는 홍수 때문에 국화가 비싸다, 그렇게 설명하며 베고니아를 가져온 사람이 들려준 이야기를 떠올리며, 잿날의 북적이는 거리의 야경을 머릿속에 그려 보았다.

얼마 후 식도암인 남자가 퇴원했다. 위암이라는 사람은 죽는 건 단념만 하면 아무것도 아니라고 하면서 아름답게 죽었다. 위궤양인 사람은 상태가 점점 나빠졌다. 한밤중에 눈을 뜨면, 이따금 동쪽 끝에서 간병인이 얼음을 깨는 소리가 났다. 그 소리가 멈추자마자 환자는 죽었다. 나는 일기에 썼다. ——"세 명 중 두 명이 죽고 나만 남아 있으니, 남아 있다는 것이 죽은 사람에게 미안할 따름이다. 그 환자는 구역질이 나서, 맞은편 끝에서 이쪽 끝까지 울리는 듯한 소리를 내며 우욱 우욱 내내 토했지만, 지난

* 에도 시대의 화폐 단위.

이삼일 동안 그 소리가 뚝 끊겨서 꽤 좋아졌나 싶었는데, 사실은 피로가 극에 달해 소리를 낼 힘도 없었다는 것을 알았다."

그 후 환자들이 번갈아 가며 드나들었다. 내 병은 날이 갈수록 조금씩 나아졌다. 나중에는 실내화를 신고 넓은 복도를 여기저기 걸어 다니기 시작했다. 그때 우연히 어떤 간호사와 이야기를 나누게 되었다. 따뜻한 날 오후, 식사가 끝나고 운동도 할 겸 수선화의 물을 갈아 주려고 세면장으로 나가 수도꼭지를 비틀고 있는데, 그 간호사가 담당 병실의 찻잔을 씻으러 와서 여느 때처럼 인사를 하고, 내가 들고 있는 토분과 그 안에 수북이 부풀어 오른 구근을 잠깐 바라보더니, 눈길을 내 옆얼굴로 돌리며, 얼마 전에 입원하셨을 때보다 훨씬 안색이 좋아지셨네요, 하고 석 달 전의 나와 지금의 나를 비교하는 듯한 평을 했다.

"얼마 전이라면, 그때 자네도 여기 와 있었나?"

"네, 바로 옆방이었어요. 한동안 ○○씨의 병실에 있었는데 모르셨을 수도 있겠네요."

○○씨의 병실이라면 그 이상한 소리가 나던 동쪽 옆방이다. 나는 간호사를 쳐다보며, 이 사람이 그때 한밤중에 병자가 부르는 소리에 "예" 하고 상냥하게 대답하며 일어났던 여자인가 생각하니, 조금 놀라지 않을 수 없었다. 하

지만 그 무렵 내 신경을 그토록 자극한 소리의 원인에 대해서는 딱히 물어보고 싶은 생각이 들지 않았다. 그래서, 아아 그런가, 하고는 토분을 닦고 있었다. 그러자 여자가 갑자기 조금 태도를 바꾸며 이런 말을 했다.

"그때 선생님이 계신 방에서 가끔 이상한 소리가 났는데……."

나는 느닷없이 역습을 당한 사람처럼, 간호사를 쳐다보았다. 간호사는 계속해서 말했다.

"매일 아침 6시쯤 되면 꼭 나는 것 같았는데요."

"음, 그거" 하고 나는 생각이 났다는 듯이 그만 큰 소리로 말했다. "그건 말이야, 자동 가죽 숫돌 소리네. 매일 아침에 수염을 깎거든. 안전 면도날을 자동 숫돌에 대고 가는 거지. 지금도 하고 있네. 거짓말 같으면 와서 보게."

간호사는 그냥 아아, 하고 말했다. 좀 더 이야기를 들어보니, ○○씨라는 환자가 그 숫돌 소리가 무척 신경이 쓰여, 저건 무슨 소리냐며 간호사에게 물었다고 한다. 간호사가 전혀 모르겠다고 하자, 옆방 사람은 꽤 상태가 좋아져서 아침에 일어나자마자 운동을 하는데, 혹시 그 기계 소리가 아닐까, 부럽군, 하고 몇 번이고 말했다고 한다.

"그건 그렇고, 자네 방에서 난 소리는 뭔가?"

"저희 방에서 난 소리라니요?"

“왜 그, 무를 강판에 가는 것 같은 이상한 소리가 나지 않았었나?”

“아, 그거요? 오이를 간 거예요. 환자분이 다리에 열이 올라서 참을 수가 없으니 오이즙으로 차갑게 해 달라고 해서 제가 내내 갈아 드렸어요.”

“그럼 역시 강판 소리군.”

“예.”

“그렇군, 이제야 알았네. 그런데 대체 ○○씨의 병은 뭔가?”

“직장암이에요.”

“그럼 어렵겠군.”

“예, 한참 전에 이미. 여기서 퇴원하시고 바로였어요, 돌아가신 게.”

나는 말없이 내 방으로 돌아갔다. 그리고 오이 가는 소리로 남을 애태우다 죽은 남자와, 숫돌 가는 소리로 남의 부러움을 사며 건강을 회복한 사람의 차이를 마음속으로 곰곰이 비교하며 생각해 보았다.

(1911년)

꿩*

나쓰메 소세키

대여섯 명이 모여 화로를 둘러싸고 이야기를 하고 있는데 청년 하나가 불쑥 찾아왔다. 이름도 듣지 못했고 만난 적도 없는 생판 모르는 남자다. 소개장도 없이 하녀를 통해 면담을 청하기에 방으로 부르니, 여럿이 모인 자리에 청년이 꿩 한 마리를 들고 들어왔다. 초면에 인사를 끝내고 그 꿩을 방 한가운데에 놓더니 고향에서 보내온 것이라며 그 자리에 선물로 내놓았다.

그날은 추웠다. 바로 꿩으로 탕을 끓여 다 같이 먹었다. 꿩을 요리할 때 청년은 하카마** 차림으로 부엌에 서서 직

* 수필집 《긴 봄날의 소품》에 실린 글이다.

** 주로 정장 차림에 입는 주름 진 하의.

접 털을 뽑고 살을 찢고 뼈를 탁탁 두드려 주었다. 청년은 몸집이 작고 갸름한 얼굴에 창백한 이마 아래 도수가 높아 보이는 안경을 반짝이고 있었다. 가장 눈에 들어온 건 근시보다, 거무스름한 콧수염보다, 그가 입고 있던 하카마였다. 고쿠라 천*으로 만든 것으로, 보통 학생들에게서는 볼 수 없는 굵은 줄무늬의 화려한 옷이었다. 그는 그 하카마 위에 두 손을 올려놓고 자신은 난부 사람**이라고 했다.

청년은 일주일쯤 지나서 또 찾아왔다. 이번에는 자신이 쓴 원고를 들고 왔다. 그리 좋지 않았기 때문에 솔직하게 이야기하니, 다시 써 보겠습니다, 하고 돌아갔다. 그 후 일주일이 지나 또 원고를 품속에 넣어 왔다. 그렇게 그는 올 때마다 자신이 쓴 글을 놓고 갔다. 그중에는 세 권짜리 대작도 있었다. 하지만 그게 가장 좋지 않았다. 나는 그가 쓴 것 중에 제일 낫다고 생각한 글을 한두 번 잡지에 올려 달라고 주선한 적이 있다. 하지만 그건 그저 편집자의 배려로 실리게 된 것일 뿐, 원고료는 한 푼도 받지 못했던 것 같다. 내가 그의 생활고를 듣게 된 것은 그때였다. 그는 앞으로 글을 팔아서 먹고살 생각이라고 했다.

* 에도 시대 고쿠라 지역의 특산품으로 세로줄무늬의 고급 무명천.

** 모리오카 성의 성주였던 난부 씨의 일족.

언젠가 한 번 묘한 것을 가지고 왔다. 국화꽃을 얇은 김처럼 말려서 한 장 한 장 굳힌 것이다. 함께 있던 고시가 다다미이와시* 같다며 살짝 데쳐 주기에 젓가락으로 집어 먹으며 술을 마셨다. 그리고 은방울꽃 조화를 가져온 적도 있다. 여동생이 만든 것이라며 손가락 사이로 철사로 만든 꽃가지를 빙글빙글 돌렸다. 여동생과 함께 살고 있다는 건 그때 처음 알았다. 남매가 땔나무 가게 이층방 하나를 빌려 살면서, 여동생은 매일 자수를 배우러 다닌다고 한다. 그다음에 왔을 때는 군청색 매듭에 흰 나비를 수놓은 옷깃 장식을 신문지에 싸 와서, 혹시 매시겠다면 드리겠습니다, 하고 놓고 갔다. 야스노가, 저한테 주세요, 하고 그걸 가져갔다.

그 뒤에도 그는 가끔 찾아왔다. 올 때마다 고향의 풍경이며 관습이며 전설이며 예스러운 제례 양식 등 여러 가지 이야기를 했다. 그의 아버지는 한학자라는 말도 했다. 도장을 멋지게 새긴다는 말도 했다. 할머니는 옛 다이묘의 저택에서 고용살이를 했는데 원숭이해에 태어났다고 한다. 다이묘가 할머니를 무척 마음에 들어 해서 원숭이와 관련 있는 것을 가끔 선물로 주었고, 그중에 가잔이 그

* 정어리 새끼를 말려 김처럼 얇게 펴서 만든 음식.

린 긴팔원숭이 족자가 있는데, 다음에 올 때 보여 주겠다고 말했다. 청년은 그 후로 오지 않았다.

그리고 봄이 지나 여름이 되어 그 청년의 일도 어느새 잊어버린 어느 날, — 그날은 해와 멀찌감치 떨어져 방 한가운데에 홑옷 차림으로 가만히 책을 읽는 것조차 견딜 수 없을 만큼 더웠다 — 그가 불쑥 찾아왔다.

여전히 그 화려한 하카마를 입고 창백한 이마에 맺힌 땀을 꼼꼼하게 수건으로 닦고 있다. 조금 여윈 것 같다. 참으로 말씀드리기 송구하지만 돈 20엔을 좀 빌려 달라고 한다. 사실은 친구가 위급한 병에 걸려 바로 입원을 시켰는데 당장 돈이 궁해 여기저기 돌아다녀 보았지만 구할 수가 없다, 어쩔 수 없이 찾아왔다, 하고 설명했다.

나는 책 읽기를 멈추고 청년의 얼굴을 가만히 바라보았다. 그는 언제나처럼 두 손을 무릎 위에 가지런히 놓은 채, 부탁드립니다, 하고 낮은 목소리로 말했다. 자네 친구네 집이 그렇게 가난한가, 하고 되물으니, 아닙니다, 다만 집이 멀리 있어 시간이 걸리기 때문에 부탁드리는 것입니다, 2주 후에는 고향에서 돈이 도착할 테니 그때 바로 갚아 드리겠습니다, 하고 대답한다. 나는 돈을 마련하겠다고 했다. 그러자 그는 보자기 안에서 족자 하나를 꺼내더니, 이것이 전에 말씀드린 가잔의 두루마리 그림입니다, 하며 반 절짜리 표구 그림을 펼쳐 보여 주었다. 좋은 건지 나쁜 건지 확실히는 알 수 없었다. 낙관을 살펴보니, 와타나베 가잔도 요코야마 가잔도 닮지 않았다. 청년이 이걸 두고 가겠다고 해서, 그럴 필요 없다고 거절했지만 듣지 않고 맡겨 두고 갔다. 이튿날 돈을 받으러 다시 왔다. 그길로 소식이 없다. 약속한 2주가 지났지만 그림자도 얼씬하지 않는다. 나는 속았는지도 모른다고 생각했다. 원숭이 족자가 벽에 걸린 채 가을이 되었다.

겹옷을 껴입고 마음이 오그라들어 있을 때, 나가쓰카가 언제나처럼 찾아와 돈을 빌려 달라고 했다. 나는 그렇게 자꾸자꾸 돈을 빌려주는 게 싫었다. 문득 전의 그 청년이 생각나서, 이러이러한 돈이 있다, 만약 자네가 그 돈을 받으러 갈 마음이 있다면 받으러 가라, 받을 수 있으면 빌려주겠다, 하고 말하니, 나가쓰카는 머리를 긁적이며 잠시 머뭇거리더니 드디어 마음을 먹었는지 갔다 오겠다고 했다. 그래서 예전에 빌려 간 돈을 이 사람에게 건네주게, 하고 편지를 써서 원숭이 족자와 함께 나가쓰카에게 주어 보냈다.

나가쓰카는 다음날 인력거를 타고 왔다. 오자마자 품속에서 편지를 꺼내기에 받아서 보니 어제 내가 써 준 편지다. 아직 뜯지도 않았다. 가지 않았느냐고 물으니, 나가쓰카는 이마를 찡그리며, 가기는 했는데 도저히 안 되겠습니다, 처참해요, 지저분한 집에서 부인은 수를 놓고 있었어요, 본인은 병이 들었고요, 돈 얘기를 꺼낼 형편이 아니어서 걱정하실 것 없다고 안심시키고 족자만 돌려주고 왔다고 한다. 나는 허어, 그런가, 하고 조금 놀랐다.

다음날, 청년이 거짓말을 해서 죄송하다며 족자는 잘 받았다고 엽서를 보내왔다. 나는 그 엽서를 다른 편지와 함께 상자 안에 넣었다. 그리고 또 청년에 대해서는 잊어버렸다.

그러는 사이에 겨울이 왔다. 여느 때처럼 분주한 설을 맞이했다. 손님이 오지 않는 틈틈이 작업을 하고 있는데, 하녀가 기름종이에 싼 꾸러미를 가져왔다. 둥그런 모양으로 털썩 소리가 난다. 보낸 사람의 이름은 잊고 있었던 그 청년이다. 기름종이를 풀어 신문지를 벗기니 안에서 꿩 한 마리가 나왔다. 편지가 들어 있다. 그 후 여러 가지 사정이 있어서 지금은 고향에 내려왔다, 빌려주신 돈은 3월경 도쿄에 올라갈 때 꼭 갚아 드리겠다고 쓰여 있다. 편지는 꿩의 피 때문에 굳어서 쉽게 떨어지지 않았다.

그날은 목요회가 있는 날로, 젊은이들이 모이는 밤이었다. 나는 또 대여섯 명과 함께 커다란 식탁에 둘러앉아 꿩 탕을 먹었다. 그리고 화려한 고쿠라 하카마를 입은 창백한 청년의 성공을 빌었다. 대여섯 명이 돌아간 뒤, 나는 그 청년에게 감사의 편지를 썼다. 편지에는 예전에 빌린 돈은 개의치 않아도 된다는 말을 덧붙였다.

(1909년)

묵즙일적*

마사오카 시키

1월 31일

사람의 희망이란 처음에는 막연히 크다가 나중에는 점점 작아지면서 분명해지기 마련이다. 병상에서 내 희망은 처음보다 지극히 작아져 "멀리까지 걷지 못해도 좋으니 그저 마당이라도 걸을 수 있다면" 했던 것이 사오 년 전의 일이다. 그 후로 한두 해가 더 지나고 '걷지는 못하더라도 설 수만 있다면 기쁘겠구나' 생각하며 "너무 작은 바람인가" 하고 남들에게 말하며 웃기도 했는데, 재작년 여름

* 1901년의 수필집 《묵즙일적(墨汁一滴)》 중에서 뽑은 글이다.

부터는 "일어서지는 못해도 앉아만 있을 수 있게 병의 신(神)이 허락해 주었으면" 하고 넋두리를 하게 되었다.

그래도 희망의 축소는 거기서 멈추지 않았다. "앉는 것은 고사하고 한 시간만이라도 고통 없이 편안히 누워 있을 수만 있다면 얼마나 기쁠까" 하는 것이 어제오늘의 내 희망이다. 작은 바람일까?

이제 내 희망은 더는 작아질 수 없을 만큼 작아졌다. 이 다음 차례는 희망이 영(零)이 되는 시기다. 희망이 영이 될 때, 석가는 이를 열반이라 하고, 예수는 이를 구원이라 하겠지.

2월 13일

매일 아침 붕대를 갈 때 느껴지는 고통이 싫어 꼭 신문이나 잡지 같은 걸 읽으면서 고통을 달래려고 한다. 고통이 극심할 때는 신문을 노려보고 있으니 뭘 읽고 있는지 전혀 머리에 안 들어올 때도 있지만, 신문이 재미있을 때는 어느새 시간이 흘러가 있을 때도 있다. 그래서 생각이 났다. 옛날에 관우가 한쪽 팔에 수술을 받으면서 책을 읽고 있는 모습을 그림에서 보고, 관우는 엄청나게 강한 사람이구나, 하고 어린 마음에 무척 감탄한 적이 있다. 그런데 지금 생각해 보니, 관우도 역시 책을 읽으면서 고통을 달래려고 했던 게 분명하다.

4월 4일

봄비가 아침부터 추적추적 내리는 날은 너무나 조용하고 쓸쓸해 잡담을 나누기도 좋을 테니, 이런 날 우산을 쓰고 소맷자락을 적신 채 일부러 멀리서 찾아오는 친구가 있다면 기쁘겠지만, 지금까지 그런 일은 없었다.

오늘도 비가 내려 사람이 오지 않아, 드러누워 멍하니 천장을 보고 있으니, 거북이 인형도 매달려 있고, 억새 이삭으로 만든 부엉이도 매달려 있고, 검은색 타조알도 매달려 있고, 상인방에는 삿갓이 걸려 있고, 도롱이가 걸려 있고, 호리병박으로 만든 꽃병이 걸려 있다. 머리맡을 보니, 상자 위에 크기가 한 자쯤 되는 인형들이 줄줄이 놓여 있는데, 그중에는 오타후쿠도, 대흑천도, 에비스도, 후쿠스케도, 고양이 인형도 있어, 다들 웃는 얼굴을 하고 있다. 이렇게 심심할 때, 이런 인형에게도, 낡은 삿갓에게도 전부 다 발이 생겨나서 병상 주변을 빙빙 돌며 걸어 다니면 재미있을 텐데.

4월 19일

우스우면 웃는다. 슬프면 운다. 그러나 고통이 심할 때는 어쩔 도리가 없으니, 신음하거나, 고함치거나, 울거나, 그렇지 않으면 가만히 참고 있거나 한다. 그중에서 가만히 참고 있는 게 가장 괴롭다. 맘껏 신음하고, 맘껏 고함치고, 맘껏 울면 조금은 고통을 잊을 수 있다.

4월 24일

어젯밤 꿈에 동물들이 많이 놀고 있는 곳에 갔다. 그 동물 중에는 이제 죽음이 가까워졌는지 뒹굴며 괴로워하고 있는 녀석도 있었다. 그런데 다정한 토끼 한 마리가 괴로워하는 동물 옆으로 가더니 손을 내밀었다. 그 동물은 바로 토끼의 손을 잡고 자신의 입에다 대며 기쁜 듯이 숨을 들이마시더니, 지금까지의 괴로움이 멎으며 정말로 기분 좋게 잠들듯이 눈을 감았다. 또 다른 동물이 죽어 가며 괴로워하자 그 토끼는 똑같이 그렇게 했고, 그 동물 역시 기분 좋게 잠들듯이 눈을 감았다. 나는 꿈이 깨고 나서도 언제까지나 이 토끼를 잊을 수가 없다.

4월 29일

봄비는 추적추적. 병상은 무료함. 천장을 보니 풍차가 오색으로 반짝이고, 머리맡을 보니 꽃병 안에 보라색 등나무꽃이 한 자쯤 늘어져 있다. 유리문 밖을 보니 뜰 안 가득 초록색 잎들이 비에 젖어 있고, 노란색 황매화는 이제 얼마 남지 않았고, 모란은 다홍색 한 송이가 먼저 피어 있다. 곧장 물감통을 꺼낸다. 오색, 보라색, 초록색, 노란색, 다홍색, 자, 어느 색으로 그려 볼까.

(1901년)

마사오카 시키(正岡子規) 1867~1902

하이쿠 시인. 근대 하이쿠를 정립했을 뿐만 아니라, 평론, 수필 등 다방면에 걸쳐 창작 활동을 하며 많은 작품을 남긴 메이지 시대를 대표하는 문학자 중 한 사람이다.
20대 후반부터 결핵이 악화하여 모르핀에 의지하면서 7년 동안 병상에서 누워 지내다가 서른네 살에 세상을 떠났다. 수필집 《병상육척》, 《앙와만록》, 《묵즙일적》은 죽음을 앞둔 자신의 육체와 정신을 객관적으로 바라보며 서술한 뛰어난 병상 기록으로 평가받는다.
도쿄제국대학 시절에 만난 나쓰메 소세키와는 세상을 떠날 때까지 깊은 우정을 나누었다.

병상육척*

마사오카 시키

5월 5일

병상 육척(尺)**, 이것이 나의 세계이다. 더구나 이 육척의 병상이 나에게는 너무나 넓다. 겨우 손을 뻗어 다다미 바닥을 만질 수는 있지만, 이불 밖으로 발을 뻗어 몸을 펼 수도 없다. 심할 때는 극도의 고통에 시달려 몸을 한 치도 움직일 수 없을 때가 있다. 고통, 번민, 신음, 마취제, 죽음에 다다르는 길 안에서 겨우 한 줄기 살아갈 길을 찾

* 시키가 사망하기 일주일 전까지 집필한 수필집 《병상육척(病牀六尺)》 중에서 뽑은 글들이다.

** 1척은 약 30센티미터이다.

아, 약간의 안락을 탐하는 허무함, 그래도 살아 있으면 말하고 싶은 건 말하고 싶은 법이고, 매일 보는 거라고는 신문, 잡지뿐인데, 그마저도 읽을 수가 없어 괴로울 때도 많지만, 읽으면 화가 날 때도 있고, 짜증이 날 때도 있고, 가끔은 왠지 즐거워져 고통을 잊어버릴 때도 있다. 하루도 빠짐없이, 그것도 6년 동안 세상을 모른 채 누워 있는 병자의 마음은 이렇다는 것을 먼저 말해 둔다.

6월 2일

나는 지금까지 소위 선종(禪宗)의 깨달음이라고 하는 것을 오해하고 있었다. 깨달음이란 어떠한 경우에도 아무렇지 않게 죽을 수 있는 것이라고 생각했다. 하지만 그것은 잘못된 생각이었다. 깨달음이란 어떠한 경우에도 아무렇지 않게 살아 있는 것이었다.

6월 10일

지금, 여기에 병자가 있다. 육체의 고통과 함께 쇠약해져 몸을 거의 꼼짝도 할 수 없다. 머리가 금방 어지러워지고 눈앞이 빙빙 돌아, 책이나 신문을 읽을 수가 없다. 하물며 붓을 들어 글을 쓰는 일은 도저히 불가능하다. 옆에서 돌봐 주는 사람이 없고 이야기를 나눌 손님이 없다면 어떻게 살아갈 수 있을까. 어떻게 하루를 보내야 할까, 어떻게 하루를 보내야 할까.

6월 20일

병상에 누워 몸을 움직일 수 있었을 때는 애써 병이 괴롭다고 생각하지 않고 무심하게 누워서 지냈지만, 요즘처럼 몸을 움직일 수 없게 되니, 정신의 번민으로 거의 날마다 미치광이처럼 괴로워한다. 이 괴로움에서 벗어나려는 마음에 이런저런 궁리도 해 보고, 움직이지 않는 몸을 억지로 움직여도 본다. 점점 더 괴롭다. 머리가 우지끈거린다. 더는 견딜 수가 없어, 참고 참다가 끝내 파열한다. 이제 이렇게 되면 어쩔 수가 없다. 절규. 통곡. 점점 더 절규한다. 점점 더 통곡한다. 이 괴로움, 이 고통은 어떻게도 형용할 수가 없다. 차라리 정말로 미치광이가 되어 버리면 편하겠다는 생각이 들지만, 그렇게 하지도 못한다. 만약 죽을 수만 있다면, 그것이 무엇보다 내가 바라는 것이다. 하지만 죽을 수도 없고, 죽여 줄 사람도 없다. 낮의 고통은 밤이 되면 드디어 잠잠해지고, 겨우 졸음이 찾아왔을 때는 그날의 고통이 끝남과 함께 다음 날 아침 일어날 때의 고통이 걱정스러워진다. 아침에 일어날 때만큼 괴로운 때가 없다. 누군가 이 고통을 덜어 줄 사람은 없을까, 누군가 이 고통을 덜어 줄 사람은 없을까.

6월 21일

'어떻게 하루를 보내야 할까.' '누군가 이 고통을 덜어 줄 사람은 없을까.' 이쯤에 이르면 종교적인 문제에 이르렀다고 종교인들은 말할 것이다. 그러나 종교를 믿지 않는 나에게는 종교도 아무런 도움이 되지 않는다. 기독교를 믿지 않는 사람에게 신의 구원의 손길은 닿지 않는다. 불교를 믿지 않는 사람은 나무아미타불을 되뇌며 하루하루를 보낼 수도 없다. 때로는 그림책을 보며 고통을 달랜 적도 있다. 하지만 아무리 재미있는 그림책도 매일 똑같은 걸 보고 또 보면 열흘도 못 가서 지루해져, 역시 고통을 달랠 수 있는 거리가 되지 못한다. 또는 스테레오그램을 보고 놀면서 하루를 보낸 적도 있다. 그것도 매일 보면 점점 재미가 떨어져 나중에는 아픈 머리를 더 아프게 한다. 제일 기쁜 건 다정한 친구가 간호해 주는 것이지만, 그것도 자주 만나면 딱히 새로운 이야깃거리도 없기에, 병자와 간호인 둘 다 마주 보며, 한쪽은 괴로워하고, 다른 한쪽은 그 괴로움을 보느라 마음이 괴로워진다.

작년까지만 해도 유일한 즐거움이었던 음식에 대한 욕구도 이제는 거의 사라졌을 뿐만 아니라, 음식 자체가 오히려 몸을 힘들게 하는 바람에 밤낮으로 괴로워한 적도 근래에 드물지 않다.

작년에는 노래를 듣거나 샤미센 연주를 들으며 즐거워하기도 했지만, 지금은 군담(軍談)을 들려주는 사람을 불러오겠다, 활동사진을 보여 주겠다는 친구들의 다정한 위로는 듣는 것만으로도 오히려 머리가 아파 온다. 많은 사람들과 한 방에 함께 있는 것도 괴로운 일이다. 노랫소리, 샤미센 소리도 멀리서 들으면 좋지만, 머리맡 바로 앞에서는 그 소리가 머리를 울리고, 심할 때는 내 호흡조차 남의 호흡에 지배되어 무척 고통스럽다. 결국 나 자신과 내 주변이 조화를 이루는 것이 매우 어려워진 것이다. 마취제가 효과를 보였을 때는 이 조화가 조금은 쉬웠지만, 지금은 마취제가 제대로 효과를 내지 못한다. 나는 그야말로 이런 지경에 빠져 버린 것이다. 늘 똑같은 병고 이야기, 듣는 이에게는 정말로 지긋지긋하겠지만, 괴로울 때는 괴롭다고 말할 수밖에 달리 어쩔 수가 없는 것이 평범한 인간의 병고 이야기다.

'어떻게 하루를 보내야 할까.' '누군가 이 고통을 덜어 줄 사람은 없을까.' 다정한 사람이 내 병상에 와서 나에게 진기한 이야기를 들려준다면, 나는 그것으로 고통이 얼마쯤 줄어든 것에 감사히 여기리라. 나에게 진기한 이야기란 꼭 하이쿠에 관한 이야기는 아니다. 문학 이야기, 종교, 미술, 과학, 농업, 온갖 이야기들이 지식이 없는 나에게 흥미를 불러일으킨다. 다만 사절하고 싶은 것은 마주 앉아 있으면서 아무 말도 하지 않는 사람이다.

8월 7일

풀꽃 가지 하나를 머리맡에 두고 그것을 정직하게 그리고 있으니, 만물 창조의 비밀을 조금씩 알게 되는 것 같다.

8월 10일

매화꽃도 벚꽃도 복숭아꽃도 한꺼번에 피어 있는 아름다운 언덕 위를 이리저리 걸으며, 이렇게 유쾌한 일은 없다고 사람들에게 이야기하는 꿈을 꾸었다. 꿈이라지만, 잠시도 고통에서 벗어날 수 없는 요즘 같은 상태에서 왜 이런 꿈을 꾸었을까.

9월 13일

인간은 어느 정도의 극한까지는 고통을 상상할 수 있다. 그러나 그렇게 상상한 극한의 고통이 나 자신의 몸에 찾아올 것이라고는 상상하지 못한다.

(1902년)

앙와만록*

마사오카 시키

10월 13일

큰 비가 무섭게 내리다. 오후에 개다.

오늘도 밥이 맛이 없다. 점심밥도 건너뛰고, 오후 2시쯤 되니 날씨가 조금 좋아진다.

리쓰**는 목욕을 하러 간다며 나갔다. 어머니는 말없이 머리맡에 앉아 있다.

나는 갑자기 정신이 이상해졌다.

---

* 1901년의 수필집 《앙와만록(仰臥漫錄)》 중에서 뽑은 글이다.

** 시키의 여동생. 병상에 누워 지내던 시키를 어머니와 함께 헌신적으로 간호했다.

"아아, 못 참겠다, 못 참겠어."

"어떡하지, 어떡하지."

괴로워서 번민이 시작된다. 또 고통이 시작될지도 모른다는 생각에 점점 더 마음이 어지러워져 "아아, 못 참겠다, 어떡하지" 하고 계속 말하니, 어머니가 "어쩔 수 없다" 하고 조용히 말한다. 도저히 더는 견딜 수가 없어 전화를 걸려고 생각해 봐도 전화를 걸 데가 없다. 결국 시호다에게 전보를 치기로 했다. 어머니가 옆방에서 전보용지와 벼루 상자를 가져왔다. 곧바로 "네기시로 와 주게"라고 써서 건네주자, 어머니는 그걸 접고서 옷을 입었다.

"목욕 가는 걸 좀 미루라고 할걸" 하고 돈을 꺼내며 "인력거꾼에게 부탁하고 오마" 하고 말한다.

"어차피 비슷한데 거기까지 갔다 오세요. 오십보백보예요" 하고 말했다. 마음속으로는 조금 무서웠다.

"그래도 인력거꾼이 가까우니까 빠를 거야."

"인력거꾼이 모르면 안 되는데" 하고 내가 반쯤 무의식중에 한 말을 어머니는 흘려듣고 나가 버렸다.

조용해졌다. 이 집에 나 혼자만 남은 것이다. 왼쪽으로 누운 채 눈앞에 있는 벼루 상자를 보니 몽당붓 너덧 자루, 체온계 하나, 그리고 두 치쯤 되는 무딘 칼과 송곳이 있다. 그렇지 않아도 때때로 솟구치는 자살 욕구가 걷잡을 수 없이 밀려왔다. 사실은 전보문을 쓰면서 순간 그런 생각을 했다. 하지만 이 무딘 칼과 송곳으로는 죽지 못한다. 옆방에 가면 면도칼이 있다는 것을 안다. 그 면도칼만 있으면 목을 그을 수는 있겠지만, 슬프게도 지금은 기어갈 수도 없다. 도리가 없다면 이 작은 칼이라도 목을 자르지 못할 것도 없다. 송곳으로 심장에 구멍을 뚫어도 분명 죽을 수야 있겠지만, 너무 오래 고통스러운 것도 싫으니, 그러면 구멍을 네 개 다섯 개 뚫으면 금방 죽을 수 있을까, 하고 이런저런 생각을 해 보지만, 사실은 두려움이 앞서 마음을 먹지도 못한다.

죽음은 두렵지 않지만 고통은 두렵기 때문에, 병고조차도 이렇게 견딜 수가 없는데 거기다 죽지 못해 괴로워해야 한다니, 그렇게 생각하니 두렵다. 그뿐만이 아니다. 역시 날붙이를 보니 마음속에서부터 두려움이 솟아오르는 듯한 기분도 든다. 오늘도 이 작은 칼을 보았을 때 걷잡을 수 없는 두려움에 가만히 쳐다보고 있다가, 어쨌든 이 작은 칼을 일단 손에 쥐어 보자는 생각까지 했다. 손에 쥐어 보려고 하다가, 아냐, 아냐, 생각하며 가만히 참았다. 마음속에서는 쥐자, 쥐지 말자, 두 가지의 마음이 싸우고 있었다. 그런 생각을 하면서 꺼억꺼억 울기 시작했다. 그 사이에 어머니가 돌아왔다. 인력거 가게까지만 간 것이라 아주 빨리 돌아왔다.

피가 머리에 쏠리니까 눈을 뜰 수 없다. 눈을 뜰 수 없으니까 신문을 읽을 수 없다. 신문을 읽을 수 없으니까 그냥 생각한다. 그냥 생각하니까 죽음이 가까워진 것을 안다. 죽음이 가까워진 것을 아니까 그때까지는 즐겁게 지내고 싶어진다. 즐겁게 지내고 싶어지니까 색다른 요리도 먹고 싶어진다. 색다른 요리도 먹고 싶어지니까 돈이 필요해진다. 돈이 필요해지니까 책이라도 팔까 싶은 생각이 든다. …… 아니, 아니, 책은 팔고 싶지 않다. 그렇게 되면 괴롭다. 괴로우면 더더욱 피가 머리에 쏠린다.

고하쿠가 오라고 하는구나.*

(1901년)

* 후지노 고하쿠는 시인이자 소설가로 시키의 사촌동생이다. 25세에 "현세의 생존에 흥미를 잃었다"라는 유서를 남기고 스스로 목숨을 끊었다. 시키는 이 글 말미에 송곳과 칼 그림과 함께 이 말을 남겼다(다음 페이지 그림).

古白曰來

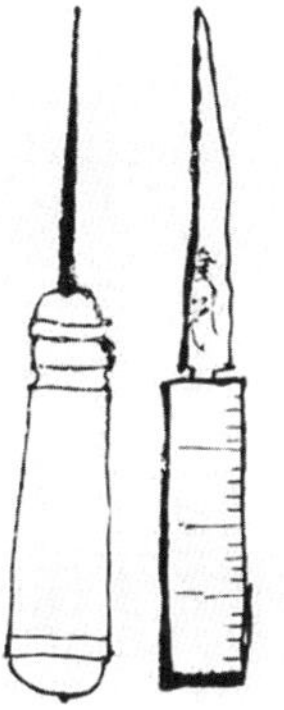

9월 14일 아침*

마사오카 시키

아침에 모기장 안에서 잠이 깼다. 아직 반쯤은 꿈속이지만, 여기, 여기, 하고 사람을 불렀다. 옆방에서 자고 있는 여동생과 손님방에서 자고 있는 교시가 동시에 대답을 하며 일어났다. 교시는 나를 간호하느라 어젯밤 여기에 묵은 것이다. 덧문을 열고 모기장을 걷는다. 그때 나는 입안에 뭔지 모를 불쾌함과 함께 목이 타는 느낌이 들어, 머리맡 쟁반에 담긴 고슈 포도를 열 알쯤 먹었다. 뭐라 말할 수 없을 만큼 맛있었다. 범부채꽃이 이슬을 한껏 머금은

* 1902년 9월 19일 시키가 세상을 떠나기 5일 전에 마지막으로 남긴 글이다. 죽음이 가까워진 어느 날 아침, 이상하게 맑고 평안함을 느낀 시키가 자신의 구술을 제자 교시에게 필사하게 하여 완성했다.

듯한 기분이었다. 잠에서 완전히 깨고 나니, 육체의 불안과 고통이 온전히 느껴졌다. 방금 사람을 불러 깨운 것도 물론 그럴 만한 이유가 있었던 것인데, 분비물을 바로 치워 달라고 했다.

나는 사오일 전부터 몸 상태가 급격히 변해, 거의 움직일 수도 없었던 두 다리가 갑자기 물에 분 것처럼 부풀어 오르더니, 이제는 아예 꼼짝도 할 수 없게 되었다. 정강이 아래로 살살 손을 대며 움직여 보려고 하면, 커다란 바윗덩이처럼 가라앉은 다리에 무시무시한 고통이 느껴졌다. 나는 온갖 종류의 고통을 자주 경험해 왔지만, 이 정도로 심한 고통을 느낀 적은 처음이다. 그래서 지난 이삼일 동안은 나의 고통, 가족들의 부산스러움, 친구들의 간호와 방문으로 병실에는 일종의 불안의 징조가 감돌고 있다. 어젯밤에도 여러 명이 찾아오면서 원래 있던 친구들이 돌아가고 하는 바람에 밤 1시경에야 잠이 들었는데, 오늘 아침에 일어나 보니 다리를 움직일 수 없는 건 여전했지만, 전날 밤 잠을 푹 자서 그런지 정신은 아주 평온하다. 얼굴을 살짝 남쪽으로 돌리고 꼼짝도 하지 않은 채 유리창 너머로 밖을 가만히 바라보았다. 시각은 6시가 넘었지만, 어렴풋이 흐린 하늘은 바람 한 점 없이 너무나 조용한 풍경이다. 창문 앞의 높이 3미터쯤 되는 대나무 시렁에는 대나무 발이 세 장 정도 놓여 있고, 그 동쪽에서 수세미가 열 개쯤 타고 올라가고 있는데, 하나같이 야위어서 시렁 위에까지는 오르지도 못하고 있다. 꽃도 두세 송이밖에 피지 않았다. 정면에는 마타리꽃이 제일 높이 피어 있고, 맨드라미는 그보다 좀 낮게 대여섯 그루 흩어져 있다. 추해당은 아직 시들지 않고 가지를 드러낸 채 있다.

나는 병을 앓고 난 이후로 오늘 아침만큼 평온한 머리로 고요히 이 뜰을 바라본 적이 없다. 입안을 헹구고, 교시와 이야기를 나눈다. 남쪽에 있는 집에서는 소학교 2학년쯤 되는 아이가 책을 복습하기 시작한 모양이다. 조금 있으니 낫토 장수가 왔다. 우리 집 남쪽에는 뒷골목이 있는데 막다른 길이어서 두부 장수조차 이 뒷골목으로 들어오는 경우는 아주 드물다. 그래서 어쩌다 음식 장수가 찾아오면, 나는 자주 와 주었으면 하는 마음에 사 주고 싶어진다. 오늘 아침에는 드물게 낫토 장수가 와서 동네 사람들이 여기저기서 낫토를 사고 있는 소리가 들려온다. 딱히 먹고 싶지는 않았지만 조금 사라고 했다. 교시와 함께 스마에서 있었던 어느 아침의 일*을 이야기하며 밖을 바라보고 있으니, 이따금 이슬이라도 떨어지는 듯, 수세미

* 시키는 고베 시의 스마에서 처음으로 각혈을 했다. 그때 처음으로 자신의 필명을 피를 토하며 우는 새인 두견새라는 의미를 가진 시키로 지었다.

이파리가 한 장 팔랑거린다. 그때마다 가을의 선선함이 살갗에 스며드는 것 같아, 뭐라 말할 수 없는 기분이 든다.

웬일인지 고통이 너무 심한 나머지 잠시나마 병든 것조차 느껴지지 않는 게 신기해 글로 써 보고 싶어져, 교시에게 부탁해 입으로 말하는 것을 옮겨 적게 했다. 필사가 끝나자 어머니가 와서, 스프가 다 됐다고 했다.

(1902년)

런던의 소세키에게

마사오카 시키

나는 이제 가망이 없어. 매일 이유도 없이 울기만 한다네. 그래서 신문도 잡지도 전혀 읽지 않네. 편지는 완전히 끊었어. 그래서 소식이 뜸했던 건데, 미안하네. 오늘밤은 문득 생각이 나서 특별히 편지를 쓰네.

전에 보내준 자네 편지는 정말 재미있었어. 요 근래에 나를 가장 즐겁게 해 주었다네. 내가 옛날부터 서양을 보고 싶어 한 것은 자네도 알고 있겠지. 병에 걸리는 바람에 그럴 수 없게 된 것이 참으로 안타깝기 그지없지만, 자네의 편지를 읽으니 마치 서양에 간 것 같은 기분이 들어 정말로 유쾌했다네. 혹시 더 쓸 수 있다면, 내가 눈을 감기 전에 한 통 더 보내 주지 않겠나(무리한 부탁이겠지만).

그림엽서도 잘 받았네. 런던의 군고구마 맛은 어떤지 듣고 싶군.

나카무라 후세쓰는 지금 파리에서 라파엘 콜랭의 작업실에 다니고 있는 모양이야. 자네를 만나면 가쓰오부시를 하나 주라고 했는데, 지금쯤은 다 먹어 버렸겠지. 교시는 아들을 얻었다네. 내가 도시오라는 이름을 지어 주었네.

진고도 죽고, 히후도 죽고, 다들 나보다 먼저 가 버렸네. 나는 도저히 자네를 다시 만날 수는 없을 것 같아. 만약 그럴 수 있다 하더라도 그때는 제대로 말도 할 수 없는 상태이겠지. 사실은 살아 있는 게 괴롭다네. 내 일기에는 '고하쿠가 오라고 하는구나'라는 글자가 쓰여 있네.

쓰고 싶은 것은 많지만 괴로워서 그만 쓰겠으니 이해해 주게.

1901년 11월 6일 등불 아래서 쓰다.

도쿄의 시키가

런던의 소세키에게

2장

무엇이 그리워 쓰는 시인가

문조

나쓰메 소세키

10월에 와세다로 이사했다. 절간 같은 서재에 혼자 덩그러니 단정한 얼굴로 턱을 괴고 있는데, 미에키치가 와서 새를 키워 보세요, 라고 한다. 키워도 좋지, 하고 답했다. 그래도 혹시 몰라 뭘 키우는지 물어보니, 문조입니다, 하고 대답했다.

문조는 미에키치의 소설에 나올 정도이니 아름다운 새임에 틀림없겠다고 생각해, 그럼 사다 주게, 하고 부탁했다. 그런데 미에키치는 꼭 키워 보세요, 하고 같은 소리를 거듭한다. 응, 살게, 산다니까, 하고 여전히 턱을 괸 채 중얼중얼하고 있으니 미에키치가 입을 다물어 버렸다. 아마도 턱을 괴고 있는 것에 정나미가 떨어졌나 보다, 하고 그제야 눈치를 챘다.

그리고 3분쯤 지나 이번에는 새장을 사라고 말을 꺼냈다. 그것도 좋다고 대답하자, 꼭 사세요, 하고 다짐을 받더니 새장에 대해 설명하기 시작했다. 그 설명은 꽤 복잡했는데, 미안하게도 전부 다 잊어버렸다. 다만 좋은 건 20엔 정도 한다는 말에, 처음부터 그렇게 비싼 건 아니어도 괜찮겠다고 말해 두었다. 미에키치는 싱글싱글 웃는다.

그런데 도대체 어디서 사느냐고 물어보니, 새 파는 가게라면 어디에나 있어요, 하고 참으로 평범한 대답을 했다. 새장은? 하고 되물으니, 새장이요? 새장은 뭐 어딘가에 있겠지요, 하고 마치 뜬구름 잡는 듯한 태평한 소리를 한다. 하지만 자네가 아니면 방법이 없겠지, 하고 안 되겠다는 표정을 지으니, 미에키치가 뺨에 손을 갖다 대며, 확실치는 않지만 고마고메에 새장 명인이 있다는데, 나이가 많은 모양이라 벌써 죽었을지도 모르겠네요, 하며 무척 불안해했다.

어쨌든 말을 꺼낸 쪽이 책임을 지는 것이 당연하기에, 나는 그 즉시 모든 것을 미에키치에게 맡기기로 했다. 그러자 바로 돈을 내라고 한다. 돈은 확실히 냈다. 미에키치는 어디서 산 건지, 격자무늬 삼단 지갑을 품속에 넣고 다니며, 남의 돈이든 자기 돈이든 몽땅 그 안에다 집어넣는

버릇이 있다. 나는 미에키치가 5엔짜리 지폐를 분명히 그 지갑 안에 집어넣는 것을 지켜보았다.

그렇게 해서 돈은 확실하게 미에키치의 손에 들어갔다. 그러나 새와 새장은 쉽게 오지 않는다.

그러는 사이 가을이 깊어졌다. 미에키치는 종종 찾아온다. 여자 이야기 따위를 자주 하다가 돌아간다. 문조와 새장에 대한 설명은 전혀 꺼내지 않는다. 유리창을 통해 폭이 다섯 자쯤 되는 툇마루에는 햇빛이 잘 든다. 기왕에 문조를 기른다면, 이런 따뜻한 계절에 여기 툇마루에 새장을 놓아두면 문조도 분명 울기 좋겠다는 생각이 들 정도였다.

미에키치의 소설에 따르면, 문조는 "치요치요" 하고 운다고 한다. 그 울음소리가 꽤 마음에 들었던지 미에키치는 "치요치요"를 몇 번이나 써넣었다. 어쩌면 '치요'라는 여자에게 반한 적이 있는지도 모르겠다. 하지만 본인은 그런 말은 전혀 하지 않는다. 나도 묻지 않는다. 그저 툇마루에 햇볕이 잘 든다. 하지만 문조가 울지는 않는다.

그러는 사이 서리가 내리기 시작했다. 나는 매일 절간 같은 서재에서 추운 얼굴을 단정히 하기도 하고, 흐트러뜨리기도 하고, 턱을 괴다가 말다가 하면서 지내고 있었다. 문은 이중으로 닫아걸었다. 화로에 숯만 끊임없이 넣고 있다. 문조는 어느새 잊어버렸다.

그럴 즈음에 미에키치가 기세등등하게 대문으로 들어왔다. 때는 땅거미가 질 무렵이었다. 추워서 화로 위에 가슴을 대고 쬐면서 우울한 얼굴을 애써 달구고 있었는데, 갑자기 기운이 솟았다. 미에키치는 호류를 데리고 왔다. 호류를 귀찮게 한 것이다. 두 사람은 새장을 하나씩 들고 있다. 거기에다 미에키치는 커다란 상자도 하나 들고 있다. 5엔짜리 지폐가 문조와 새장과 상자로 변한 것은 그해 초겨울 밤이었다.

미에키치는 의기양양하다. 이것 좀 보세요, 하고 말한다. 호류, 그 램프 좀 가져와서 여기 비춰 봐, 하고 말한다. 추워서인지 코끝이 살짝 보라색으로 변해 있다.

과연 근사한 새장이 만들어졌다. 받침대가 옻으로 칠해져 있다. 가늘게 깎인 대나무는 색이 물들여져 있다. 그렇게 해서 3엔이라고 한다. 싸지, 호류? 하고 미에키치가 말한다. 호류는 음, 싸군, 하고 말한다. 나는 싼지 비싼지 잘 모르겠지만, 음 싸군, 하고 말한다. 좋은 건 20엔이나 한답니다, 하고 말한다. 20엔은 그걸로 두 번째 듣는 말이다. 20엔에 비하면 물론 싸다.

이 옻칠은요, 선생님, 양지에 내놓고 햇볕을 쬐면, 검은색이 빠지면서 점점 붉은색으로 변하는데……, 그리고 이 대나무는 한번 푹 삶았으니까 괜찮아요, 하고 쉬지 않고 설명한다. 뭐가 괜찮은 거냐고 되물으니, 자, 새를 한번 보세요, 아름답죠? 하고 말한다.

과연 아름답다. 옆방에 새장을 두고 넉 자쯤 떨어진 곳에서 보고 있는데, 꼼짝도 하지 않는다. 어둑어둑한 속에서 새하얗게 보인다. 새장 속에 웅크리고 있지 않으면 새라고 생각할 수 없을 만큼 하얗다. 왠지 추워 보인다.

춥겠지? 하고 물어보니, 그래서 상자를 만든 거예요, 하고 말한다. 밤이 되면 이 상자에 넣어 둔다고 한다. 새장이 왜 두 개인지 물으니, 허름한 새장에 넣어 가끔 목욕을 시킨다고 한다. 그건 손이 좀 가겠군, 하고 생각하고 있는데, 아, 그리고 변을 보면 새장이 더러워지니까 가끔 청소해 주세요, 하고 덧붙인다. 미에키치는 문조를 위해서는 꽤나 강경하다.

그래, 그래, 하고 받아들이니, 이번에는 미에키치가 소맷자락에서 좁쌀 한 봉지를 꺼냈다. 이걸 매일 아침 먹여야 합니다. 모이를 갈아 주지 않을 때는 모이통을 꺼내서 좁쌀 껍질만이라도 불어 주세요. 그렇게 안 하면, 문조가 좁쌀 알갱이를 하나하나 골라내야 하거든요. 물도 매일 아침 갈아 주세요. 선생님은 늦잠을 주무시니까 오히려 잘됐네요, 하고 문조에게 더없이 친절을 베풀고 있다. 그래서 나도, 좋아, 하고 다 받아들였다. 그러자 호류가 소맷자락에서 모이통과 물그릇을 꺼내 조심스레 내 앞에 늘어놓았다. 이렇게 모든 것을 준비해 놓고 실행을 하라고 하니, 의리로라도 문조를 돌보지 않을 수 없게 되었다. 내심 꽤 불안했지만, 일단 해보자고 마음을 먹었다. 혹시 못 하더라도 집 안 사람 중 누군가가 어떻게 해 주겠지 하고 생각했다.

이윽고 미에키치가 새장을 조심조심 상자 안에 집어넣고 툇마루로 가져가더니, 여기 두겠습니다, 하고 돌아갔다. 나는 절간 같은 서재 한복판에 이부자리를 깔고, 차가운 마음으로 잠이 들었다. 꿈에 문조를 떠맡고 있는 마음이 조금 추웠지만, 잠이 드니 여느 때 밤처럼 평온했다.

이튿날 아침 눈을 뜨니 유리창에 해가 비치고 있다. 곧바로 문조에게 모이를 줘야겠다고 생각했다. 하지만 일어나기가 귀찮았다. 이제 일어나야지, 일어나야지, 하고 있는 사이에 결국 8시가 되었다. 하는 수 없이 세수하러 가는 참에 차가운 툇마루를 맨발로 밟은 채, 상자 덮개를 치우고 새장을 밝은 곳으로 꺼냈다. 문조가 눈을 깜빡이고 있다. 좀 더 일찍 일어나고 싶었겠구나, 하고 생각하니 가여워졌다.

문조의 눈은 새까맣다. 눈꺼풀 주변에 담홍색 명주실로

꿰매 놓은 것 같은 가느다란 줄이 둥글게 나 있다. 눈을 깜빡일 때마다 그 명주실이 하나로 합쳐져 한 줄이 된다. 그런 생각을 하고 있는데 또다시 동그래진다. 새장을 상자에서 꺼내자마자 문조는 하얀 목을 살짝 갸우뚱한 채, 그 까만 눈을 움직이며 처음으로 내 얼굴을 바라보았다. 그리고 치치 하고 울었다.

나는 조용히 새장을 상자 위에 올려놓았다. 문조는 포르르 횃대를 떠났다. 그리고 다시 횃대에 올라탔다. 횃대는 두 개다. 거무스름한 푸른 막대가 적당한 거리를 두고 가로로 놓여 있다. 그중 하나를 가볍게 밟고 있는 발을 보니 너무나 가냘프게 생겼다. 가늘고 긴 연분홍색 끄트머리에 진주를 깎아 놓은 듯한 발톱이 달려 있어, 횃대를 능숙하게 붙잡고 있다. 바로 그때 휘익 하고 눈앞에서 움직였다. 문조는 벌써 횃대 위에서 방향을 바꾸고 있었다. 자꾸만 고개를 좌우로 갸우뚱한다. 갸우뚱한 고개를 다시 바로 하고 살짝 앞으로 내미는가 싶더니, 하얀 날개를 또 파르르 떨었다. 문조는 발을 맞은편 횃대 한가운데에 보기 좋게 내렸다. 치치 하고 운다. 그리고 멀리서 내 얼굴을 바라다보았다.

나는 세수를 하러 목욕탕에 갔다. 돌아오는 길에 부엌에 들러 찬장을 열고, 어제저녁 미에키치가 사 온 좁쌀 봉지를 꺼내 모이통 안에 모이를 넣고 물그릇에는 물을 가득 부어 주고 다시 서재 툇마루로 나왔다.

미에키치는 빈틈이 없는 사람이라 어제저녁 모이를 줄 때 주의할 점을 세세하게 설명해 주고 갔다. 그의 말에 따르면 함부로 새장 문을 열면 문조가 도망쳐 버린다, 그래서 오른손으로 새장 문을 밀어 올리면서 왼손을 그 밑에다 대고 밖에서 입구를 막지 않으면 위험하다, 모이통을 꺼낼 때도 마찬가지로 주의해야 한다, 하며 손놀림까지 보여 주었지만, 이렇게 양손을 다 쓰면서 어떻게 모이통을 새장 안에 넣을 수 있는지는 그만 듣지 못했다.

나는 할 수 없이 모이통을 든 채 손등으로 새장 문을 살며시 위로 밀어 올렸다. 동시에 왼손으로는 열린 문을 얼른 막았다. 새가 살짝 뒤돌아보았다. 그리고 치치 하고 울었다. 나는 입구를 막은 왼손을 어찌해야 좋을지 몰랐다. 사람이 방심한 틈을 타 도망칠 것 같은 새로는 보이지 않아서 왠지 가여워졌다. 미에키치가 나쁜 걸 가르쳐 주었다.

커다란 손을 살살 새장 안에 넣었다. 그러자 문조가 갑자기 날개를 파닥이기 시작했다. 가늘게 깎은 대나무 사이로 따뜻한 솜털이 하얗게 날릴 만큼 날개를 파닥거렸다. 나는 갑자기 내 커다란 손이 싫어졌다. 좁쌀 통과 물그릇을 횃대 사이에 겨우 내려놓고 바로 손을 뺐다. 새장 문은 탁 하고 저절로 닫혔다. 문조는 횃대 위로 돌아갔다. 하얀 목을 반쯤 옆으로 돌려 새장 밖에 있는 나를 올려다보았다. 그리고 구부린 목을 바로 하더니 발밑에 있는 좁쌀과 물을 바라보았다. 나는 식사를 하러 다실로 갔다.

그 무렵 나는 매일같이 소설을 쓰고 있을 때였다. 끼니와 끼니 사이는 대개 책상 앞에서 펜을 쥐고 있었다. 조용할 때는 종이 위를 달리는 펜 소리를 들을 수 있었다. 절간 같은 서재에는 아무도 들어오지 않았다. 펜 소리에서 쓸쓸함이라는 의미를 느낀 아침도, 낮도, 밤도 있었다. 그러나 이따금 이 펜 소리가 뚝 끊기기도 하고, 멈춰야 할 때도 꽤 있었다. 그때는 손가락 사이에 펜을 끼운 채 손바닥으로 턱을 괴고, 유리창 너머로 바람에 거칠어진 뜰을 바라보는 버릇이 있었다. 그게 끝나면, 괴었던 턱을 손가락으로 한번 집어 본다. 그래도 펜과 종이가 합쳐지지 않을 때는 집었던 턱을 두 손가락으로 늘려 본다. 바로 그때 툇마루에서 문조가 치요치요 하고 두 번 울었다.

펜을 놓고 살그머니 나가 보니, 문조가 내 쪽을 향한 채 횃대 위에서 고꾸라질 듯 하얀 가슴을 내밀며 치요 하고 크게 울었다. 미에키치가 들었다면 무척이나 기뻐할 정도로 아름다운 목소리로 치요 하고 울었다. 미에키치는 머지않아 익숙해지면 치요 하고 울 거예요, 꼭 울 거예요, 하고 장담하며 돌아갔다.

나는 새장 옆에 쪼그리고 앉았다. 문조는 부풀어 오른 목을 두세 번 가로세로로 방향을 바꾸었다. 이윽고 한 덩어리의 하얀 몸이 포르르 횃대를 떠났다. 그리고 아름다운 발톱이 모이통 가장자리에서 반쯤 뒤로 물러났다. 새끼손가락만으로도 홱 뒤집어질 것 같은 모이통은 범종처럼 조용하다. 과연 문조는 가벼웠다. 왠지 야트막하게 쌓인 눈의 정령 같았다.

문조가 갑자기 부리를 모이통 가운데로 떨어뜨렸다. 그리고 두세 번 좌우로 흔들었다. 깨끗이 펼쳐져 있던 좁쌀이 후두둑 후두둑 새장 바닥에 쏟아졌다. 문조는 부리를 들었다. 목구멍 어딘가에서 희미한 소리가 난다. 또 부리를 좁쌀 한가운데에 떨어뜨린다. 또 희미한 소리가 난다. 그 소리가 재미있다. 조용히 듣고 있으니, 둥글고 섬세하며 게다가 아주 날렵하다. 제비꽃만큼 작은 사람이 마노로 만든 바둑돌을 황금 망치로 연신 두드리고 있는 듯하다.

부리 색을 보니 보라색을 연하게 섞은 다홍색 같다. 그 다홍색이 서서히 옅어져, 좁쌀을 쪼는 부리 끝은 하얗다. 상아를 반투명하게 만든 흰색이다. 이 부리가 좁쌀 안으로 들어갈 때는 아주 잽싸다. 좌우로 흩뿌리는 좁쌀 구슬도 아주 가벼워 보인다. 문조는 몸을 거꾸로 세우기라도 할 듯이 뾰족한 부리를 노란색 알갱이 속으로 집어넣고 부푼 목을 마음껏 좌우로 흔든다. 새장 바닥에 흩어진 좁쌀은 몇 알인지도 모르겠다. 그래도 모이통만큼은 쓸쓸하고 고요하다. 무거운 것이다. 모이통의 지름은 한 치 닷 푼 정도 되는 것 같다.

나는 살며시 서재로 돌아와 쓸쓸히 펜을 종이 위에서 움직였다. 툇마루에서는 문조가 치치 하고 운다. 가끔은 치요치요 하고도 운다. 밖에는 찬 바람이 불고 있었다.

저녁에는 문조가 물을 마시는 걸 보았다. 가느다란 발을 물그릇 가장자리에 걸치고, 조그마한 부리에 머금은 물 한 방울을 소중하다는 듯 고개를 들며 마시고 있다. 이 정도 양이면 물 한 그릇으로 열흘쯤은 가겠구나 생각하며 다시 서재로 돌아갔다. 밤에는 새장을 상자 안에 넣어 주었다. 자기 전에 유리창으로 밖을 내다보니, 달이 떠 있고 서리가 내리고 있었다. 문조는 상자 안에서 아무 소리도 내지 않았다.

다음날도 또 안타깝게 늦게 일어나는 바람에, 상자에서 새장을 꺼내 준 건 역시 8시가 지나서였다. 상자 안에서 벌써부터 잠이 깼을 테다. 그래도 문조는 전혀 불평하는 표정을 짓지 않았다. 새장을 밝은 곳으로 내어놓자마자, 갑자기 눈을 깜빡이더니 살짝 고개를 움츠리고 내 얼굴을 쳐다보았다.

아주 옛날에 아름다운 여자를 알았다. 그 여자가 책상에 기대어 뭔가 생각에 잠겨 있기에 뒤에서 몰래 다가가, 보라색 오비*에 달린 술을 길게 늘어뜨려 가느다란 목덜미를 간지럽혔다. 그러자 여자는 귀찮다는 듯이 뒤를 돌아보았고, 그때 여자의 눈썹이 살짝 찡그려져 있었다. 눈꼬리와 입가에는 웃음이 감돌았다. 동시에 어깨를 예쁜 목까지 올리며 옴츠렸다. 문조가 나를 쳐다보았을 때, 나는 문득 그 여자가 생각났다. 그 여자는 결혼을 했다. 내가 보라색 오비의 술로 장난을 친 것은 혼담이 정해지고 이삼일 후였다.

모이통에는 아직 좁쌀이 8할쯤 남아 있지만, 껍질도 꽤 섞여 있었다. 물그릇에는 좁쌀 껍질이 가득 떠 있어 아주 탁했다. 갈아 주어야 한다. 또 커다란 손을 새장 안에 넣었다. 아주 조심하며 넣었는데도 문조는 하얀 날개를 파닥이며 법석을 떨었다. 작은 깃털 하나가 빠져도 나는 문조에게 미안한 마음이 들었다. 껍질은 깨끗이 불어 주었

* 기모노의 허리 부분을 감싸는 넓은 천으로 된 띠.

다. 훅 불어 버린 껍질은 찬 바람이 어딘가로 데려갔다. 물도 갈아 주었다. 수돗물이어서 무척 차갑다.

그날은 하루 종일 쓸쓸한 펜 소리를 들으며 지냈다. 그러는 동안에 이따금 치요치요 하고 우는 소리도 들렸다. 문조도 쓸쓸해서 우는 게 아닐까 하고 생각했다. 하지만 툇마루에 나가 보니, 두 횃대 사이를 이리로 날았다가 저리로 날았다가 쉬지 않고 오가고 있다. 조금도 불만스러운 모습은 없었다.

밤에는 상자에 넣었다. 다음 날 아침 눈을 뜨니 밖은 하얀 서리다. 문조도 잠이 깼을 테지만, 좀처럼 일어날 기분이 들지 않는다. 머리맡에 있는 신문을 집어 드는 것조차 힘들다. 그래도 담배는 한 대 피웠다. 이것 한 대만 피우고 그만 일어나서 상자에서 꺼내 줘야지, 생각하면서 입에서 나오는 연기의 자취를 바라보고 있었다. 바로 그때 그 담배 연기 속에서, 목을 옴츠리고 눈을 가늘게 뜬 채, 살짝 눈썹을 찡그린 옛 여자의 얼굴이 얼핏 보였다. 나는 자리에서 바로 일어났다. 잠옷 위에 겉옷을 걸치고 곧장 툇마루로 나갔다. 그리고 상자 덮개를 치우고 문조를 꺼냈다. 문조는 상자에서 나오면서 치요치요 하고 두 번 울었다.

미에키치의 말에 따르면, 익숙해지면 문조가 사람의 얼굴을 보며 운다고 한다. 실제로 미에키치가 키우던 문조는 미에키치가 옆에만 있으면 쉬지 않고 치요치요 하고 계속 울었다고 한다. 그뿐 아니라 미에키치의 손가락 끝에서 모이를 먹는다고 한다. 나도 언젠가는 손가락 끝으로 모이를 주고 싶다고 생각했다.

다음 날 아침도 역시 게으름을 피웠다. 옛 여자의 얼굴도 이제 생각나지 않았다. 세수를 하고 식사를 마치고 나서야 생각이 나서 툇마루에 나가 보니, 어느새 새장이 상자 위에 놓여 있다. 문조는 횃대 위를 재미있다는 듯이 이쪽, 저쪽으로 날아다니고 있다. 그리고 이따금 목을 길게 뻗어 새장 밖을 내다보기도 한다. 그 모습이 참 천진하다. 옛날에 내가 보라색 오비로 장난을 쳤던 여자는 목이 길고, 날씬하며, 살짝 고개를 갸우뚱하며 사람을 쳐다보는 버릇이 있었다.

좁쌀은 아직 있다. 물도 아직 있다. 문조는 만족하고 있다. 나는 좁쌀도 물도 갈아 주지 않고 서재에 틀어박혔다.

오후에 또다시 툇마루로 나갔다. 식사 후 운동 삼아 대여섯 칸의 툇마루를 걸으며 책을 읽을 생각이었다. 그런데 나가 보니 좁쌀이 7할쯤이나 줄어 있었다. 물도 아주 탁했다. 책을 툇마루에 내던지고 서둘러 모이와 물을 갈아 주었다.

다음날도 또 늦게 일어났다. 게다가 세수하고 밥을 먹

을 때까지 툇마루를 내다보지 않았다. 서재로 돌아와, 혹시 어제처럼 누가 새장을 꺼내 놓았나 싶어 살짝 얼굴만 내밀고 툇마루를 내다보니 정말로 밖에 나와 있었다. 게다가 모이도 물도 새로 채워져 있었다. 나는 그제야 안심하고 고개를 서재로 돌렸다. 그때 문조가 치요치요 하고 울었다. 그래서 움츠린 고개를 다시 내밀고 보았다. 하지만 문조는 다시 울지 않았다. 의아해하는 얼굴로 유리창 너머로 뜰에 내린 서리를 바라보고 있었다. 나는 결국 책상 앞으로 돌아갔다.

서재 안에서는 변함없이 펜 소리가 사각사각 난다. 쓰고 있는 소설은 꽤 순조로웠다. 손가락 끝이 시리다. 오늘 아침 재 속에 묻어 둔 숯은 하얗게 변해 있고, 삼발이 위에 얹어 놓은 쇠주전자가 거의 식어 있다. 숯바구니가 비어 있다. 손뼉을 쳤지만 부엌까지 들리지 않는 모양이다. 일어나서 문을 열어 보니, 문조가 여느 때와 다름없이 횃대 위에 가만히 앉아 있다. 자세히 보니 다리가 하나밖에 없다. 나는 숯바구니를 툇마루에 내려놓고, 몸을 구부려 새장 안을 들여다보았다. 아무리 봐도 다리가 하나밖에 없다. 횃대 위에서 문조는 이 가냘프고 가는 다리 하나에 온몸을 맡긴 채 가만히 새장 안에 있다.

나는 이상하다는 생각이 들었다. 문조에 대해 모든 것

을 설명해 준 미에키치도 이것만큼은 빠뜨린 것 같다. 숯 바구니에 숯을 담아 돌아와 보니, 문조의 다리는 여전히 하나였다. 잠시 차가운 툇마루에 서서 바라보았지만, 문조는 움직일 기색도 없다. 가만히 숨죽인 채 쳐다보고 있으니, 문조가 동그란 눈을 점점 가늘게 오므렸다. 아마 졸려서 그런가 보다 하며 살며시 서재로 들어가려고 한 발짝 움직이는데, 문조가 다시 눈을 떴다. 동시에 새하얀 가슴에서 가느다란 다리 하나를 내밀었다. 나는 문을 닫고 화로에 숯을 넣었다.

소설 작업은 점점 바빠졌다. 아침에는 여전히 늦잠을 잔다. 집 안의 누군가가 문조를 한 번 돌봐 주고 나서부터 왠지 내 책임이 가벼워진 듯한 기분이 든다. 누가 잊어버리면 내가 모이와 물을 준다. 새장을 넣고 꺼내 준다. 내가 하지 않을 때는 누군가를 불러서 시키기도 한다. 그러면서 내 역할은 그저 문조의 울음소리를 듣는 것이 되었다.

그래도 툇마루에 나갈 때는 꼭 새장 앞에 멈춰 서서 문조를 바라보았다. 대개는 좁은 새장 안에서도 괴로워하지 않고, 두 횃대 사이를 만족스럽게 왔다 갔다 하고 있었다. 날씨가 좋은 때는 유리창을 통해 희미한 햇볕을 쬐며, 쉬지 않고 울었다. 하지만 미에키치가 말한 것처럼 내 얼굴을 보면서 더한층 울어 줄 기색은 없었다.

내 손가락에서 바로 모이를 먹는 일은 물론 없었다. 가끔 기분이 좋을 때는 빵부스러기 따위를 집게손가락 끝에 묻혀 대나무 사이로 살짝 넣어 보기도 하지만, 문조는 절대 다가오지 않는다. 조금 조심성 없이 들이밀면, 문조가 내 두툼한 손가락에 놀라 하얀 날개를 파닥이며 새장 안을 돌아다닐 뿐이었다. 두세 번 시도해 보고 가여운 마음이 들어, 손가락으로 모이를 먹이는 재주는 영원히 단념해 버렸다. 요즘 세상에 이런 걸 할 수 있는 사람이 과연 있는지 매우 의심스럽다. 아마 옛 성인들이나 하던 일일 것이다. 미에키치가 분명 거짓말을 한 거다.

어느 날 서재에서 여느 때처럼 펜 소리를 내며 쓸쓸한 글을 쓰고 있는데, 문득 이상한 소리가 들렸다. 툇마루에서 스르륵 스르륵 소리가 난다. 여자가 긴 옷자락 소리를 내며 걷는 소리 같기도 하지만, 그런 것치고는 너무 크다. 히나단*을 걷는 인형의 옷자락 주름이 스치는 소리라고 형용하는 게 좋을 것 같다. 나는 쓰고 있던 소설을 멈추고 펜을 쥔 채 툇마루로 나가 보았다. 그랬더니 문조가 목욕을 하고 있었다.

물은 마침 갈아 놓았다. 문조는 가벼운 다리를 물그릇

---

* 여자아이의 건강을 비는 히나마쓰리 축제 때 쓰이는, 인형을 장식해 놓은 계단식의 단.

한복판에 담그고 가슴 털까지 적신 채, 가끔씩 하얀 날개를 좌우로 펼치며, 물그릇 안에 웅크려 앉듯이 배를 깔고는, 온몸의 털을 한꺼번에 흔들고 있다. 그러고 나서는 물그릇 가장자리로 포르르 날아오른다. 그리고 조금 있다가 또 들어간다. 물그릇의 지름은 한 치 닷 푼밖에 안 된다. 물속에 들어가도 꼬리도 안 잠기고, 머리도 안 잠기고, 등도 안 잠긴다. 물에 잠기는 건 다리와 가슴뿐이다. 그래도 문조는 즐겁게 목욕을 하고 있다.

나는 급히 허름한 새장을 가져왔다. 그리고 문조를 그곳으로 옮겼다. 물뿌리개를 들고 목욕탕에 가서 수돗물을 담아와 상자 위에서 쇄아쇄아 뿌려 주었다. 물뿌리개의 물이 다 떨어졌을 때쯤에는 하얀 깃털에서 떨어지는 물이 방울방울이 되어 굴러갔다. 문조는 끊임없이 눈을 깜빡이고 있었다.

옛날에 보라색 오비로 장난을 쳤던 여자가 방에서 일을 하고 있을 때, 내가 이층 다락방에서 손거울로 여자의 얼굴에 봄의 햇살을 반사하며 즐거워한 적이 있다. 여자는 연분홍색으로 물든 뺨을 들어 올리고 가느다란 손을 이마 위에 갖다 대면서 이상하다는 듯이 눈을 깜빡였다. 그 여자와 이 문조는 어쩌면 같은 심정이었으리라.

하루하루 시간이 흐르면서 문조는 예쁘게 지저귄다. 하

지만 나는 자주 잊어버린다. 어떤 때는 모이통이 좁쌀 껍질로 가득했을 때도 있었다. 어떤 때는 새장 바닥이 새똥으로 가득했을 때도 있다. 어느 날 밤 연회가 있어 늦게 왔더니 겨울의 달이 유리창 너머로 비춰 들어 넓은 툇마루가 희미하게 보이는 속에 새장이 고요히 상자 위에 놓여 있었다. 그 한구석에 문조의 몸이 희끄무레하게 떠 있는 채, 횃대 위에 있는 듯 없는 듯 느껴졌다. 나는 외투를 벗어 던지고 곧장 새장을 상자 안에 넣어 주었다.

이튿날 문조는 여느 때처럼 기운차게 울었다. 그러고 나서는 때때로 추운 밤에도 상자에 넣어 주는 것을 깜빡할 때가 있었다. 어느 날 밤, 여느 때처럼 서재에서 열심히 펜 소리를 듣고 있는데, 갑자기 툇마루 쪽에서 쿵 하고 물건이 엎어지는 소리가 났다. 하지만 나는 일어나지 않았다. 그대로 서둘러 소설을 쓰고 있었다. 일부러 나갔는데 아무 일도 아니면 분통이 터질 테니까, 마음에 걸리기는 했지만, 그냥 살짝 귀를 기울인 채 모른 척했다. 그날 밤 잠자리에 든 것은 12시가 넘어서였다. 변소에 가는 김에 마음에 걸려 혹시나 해서 툇마루로 나가 보니 ——

새장이 상자 위에서 떨어져, 옆으로 쓰러져 있다. 물그릇도 모이통도 뒤집혀 있다. 좁쌀은 온통 툇마루에 흩어져 있다. 횃대는 빠져나와 있다. 문조는 새장 나무 살에 매달려 있었다. 나는 내일부터 맹세코 이 툇마루에 고양이를 들이지 않겠다고 결심했다.

다음날 문조는 울지 않았다. 좁쌀을 한가득 담아 주었다. 물을 넘치도록 부어 주었다. 문조는 한쪽 다리로 횃대 위에 앉아 오랫동안 움직이지 않았다. 점심을 먹고, 미에키치에게 편지를 보내야겠다고 생각해 두세 줄 쓰기 시작하는데, 문조가 치치 하고 울었다. 나는 편지를 쓰던 펜을 멈췄다. 문조가 또 치치 하고 울었다. 나가서 보니 좁쌀도 물도 꽤 줄어 있다. 편지는 그만 찢어서 버렸다.

다음날 문조가 또 울지 않았다. 횃대에서 내려와 새장 바닥에 배를 깔고 있었다. 가슴 부분이 조금 부풀어 올라, 작은 털이 잔물결처럼 흐트러져 보였다. 나는 그날 아침, 미에키치가 전에 말한 용건 때문에 어디어디로 나와 달라는 편지를 받았다. 10시까지 오라는 말에 문조를 그대로 놔 두고 나갔다. 미에키치를 만났는데, 이야기가 길어지는 바람에 함께 점심을 먹었다. 함께 저녁도 먹었다. 그리고 내일 다시 만나기로 약속하고 집으로 돌아왔다. 집에 돌아와 보니 밤 9시쯤이다. 문조는 까맣게 잊고 있었다. 피곤해서 바로 이부자리에 들어가 잠이 들어 버렸다.

다음날 눈을 뜨자마자 어제의 그 용건에 대해 생각했다. 아무리 본인이 승낙했다고는 하지만 그런 집에 시집을 보내는 것은 끝이 좋지 않을 거야, 아직 어리니까 어디든 가라고 하는 데로 시집을 가려고 하겠지, 하지만 일단 시집을 가면 마음대로 돌아올 수 있는 게 아니잖아, 이 세상에는 만족스러워하면서도 불행에 빠지는 사람이 많이 있지, 그런 생각을 하면서 아침 식사를 마치고, 그 용건을 마무리 지으러 또 집을 나섰다.

돌아오니 오후 3시쯤이다. 현관에 외투를 걸고, 복도를 따라 서재로 들어갈 생각으로 툇마루에 나가 보니, 새장이 상자 위에 놓여 있었다. 하지만 문조는 새장 바닥에 나동그라져 있었다. 두 다리는 굳게 모은 채 직선으로 뻗어 있었다. 나는 새장 옆에 서서 가만히 문조를 지켜보았다. 까만 눈을 감고 있다. 눈꺼풀의 색은 연푸르게 변해 있다.

모이통에는 좁쌀 껍질만 쌓여 있다. 쪼아 먹을 만한 건 한 알도 없다. 물그릇은 바닥에 빛이 날 정도로 말라 있다. 서쪽으로 넘어간 해가 유리창으로 새어 들어와, 비스듬히 새장 위에 떨어져 내렸다. 받침대에 칠해진 옻은 미에키치가 말한 대로 어느새 검은색이 빠지며 붉은색이 감돌고 있었다.

나는 겨울 해에 물든 붉은 받침대를 바라보았다. 텅 빈 모이통을 바라보았다. 덧없이 가로놓인 횃대 두 개를 바라보았다. 그리고 그 아래에 누운 채 굳어 있는 문조를 바라보았다.

나는 쪼그리고 앉아 두 손으로 새장을 끌어안았다. 그리고 서재로 가지고 들어갔다. 방 한가운데에 새장을 내려놓고 그 앞에 꿇어앉아 새장 문을 열고, 커다란 손을 넣어 문조를 잡아 보았다. 부드러운 깃털이 싸늘했다.

오므린 손을 새장에서 꺼내 펼치니, 문조가 조용히 손바닥 위에 놓여 있다. 나는 손을 펼친 채, 한참 동안 죽은 새를 바라보았다. 그리고 살며시 방석 위에 내려놓았다. 그리고 세차게 손뼉을 쳤다.

열여섯 살이 되는 소녀가, 예, 하고 문지방 앞으로 왔다. 나는 갑자기 방석 위에 있는 문조를 잡아 소녀 앞에 내던졌다. 소녀는 고개를 숙인 채 다다미방을 바라보며 말이 없다. 나는, 모이를 주지 않으니까 결국 죽어 버렸다고 말하며, 하녀의 얼굴을 노려보았다. 하녀는 그래도 말이 없다.

나는 책상 앞에 앉았다. 그리고 미에키치에게 엽서를 썼다. "집 안 사람들이 모이를 주지 않아서 문조가 결국 죽고 말았네. 넣어 달라고 부탁도 하지 않은 새를 새장 안에 넣어 두고, 게다가 먹이를 주는 의무조차 다하지 않은 건 잔혹하기 이를 데가 없네"라는 내용이었다.

이걸 우체통에 넣고 오너라, 그리고 이 새는 저리로 가져가거라, 하고 나는 하녀에게 말했다. 하녀가 어디로 가져갈까요, 하고 물었다. 아무 데나 마음대로 가져가라고 호통을 치니, 놀라서 부엌으로 가져갔다.

조금 있으니 뒤뜰에서 아이가, 문조를 묻네요, 문조를 묻네요, 하고 떠들고 있다. 정원 청소를 맡은 정원사가, 아가씨 이쯤이 좋겠죠, 하고 말한다. 나는 나아가지도 않는 펜을 서재에서 움직이고 있었다.

다음날은 왠지 머리가 무거워 10시쯤 돼서야 겨우 일어났다. 세수를 하면서 뒤뜰을 보니, 어제 정원수의 목소리가 들려온 부근에 작은 팻말이 푸른 속새 한 줄기와 함께 나란히 서 있다. 속새보다는 높이가 훨씬 낮다. 나막신을 신고 그늘 안의 서리를 밟으며 다가가 보니, 팻말 앞면에는 '이 둑 위에 올라가지 마세요'라고 쓰여 있다. 딸 후데코의 필체다.

오후에 미에키치에게서 답장이 왔다. 문조는 가엽게 되었습니다, 라는 말만 쓰여 있을 뿐, 집 안 사람들이 나쁘다거나 잔혹하다는 말은 전혀 없었다.

(1908년)

마음*

나쓰메 소세키

목욕을 마치고 이층 난간에 수건을 걸쳐 놓고, 햇살이 환히 비치는 봄의 마을을 내려다보니, 두건을 쓰고 흰 수염이 듬성듬성 난, 나막신 굽갈이 할아버지가 울타리 밖을 지나간다. 낡은 북을 멜대에 매달고 대나무 북채로 통통 치는데, 그 소리가 마치 머릿속에 느닷없이 떠오른 기억처럼, 날카로우면서도 어딘지 힘이 빠져 있다. 할아버지가 대각선 맞은편에 있는 의사 집 대문 앞에 와서, 둔탁한 봄의 북을 통 하고 치자, 머리 위로 새하얗게 핀 매화꽃 속에서 작은 새 한 마리가 날아올랐다. 굽갈이 할아버

* 수필집 《긴 봄날의 소품》에 실린 글이다.

지는 알아채지 못한 채, 푸른 대나무 울타리를 비스듬히 돌아 건너편으로 사라졌다. 새는 날갯짓 한 번으로 난간 아래까지 날아왔다. 한동안 석류나무의 가느다란 가지에 앉아 있다가, 불안하다는 듯 두세 번 몸짓을 바꾸더니, 갑자기 난간에 기대고 있는 내 쪽을 올려다보며 곧바로 휘익 날아올랐다. 나뭇가지 위가 흐릿하게 움직이는가 싶더니, 작은 새는 어느새 아름다운 발로 난간의 살을 밟고 있다.

아직 본 적이 없는 새여서 이름은 알 수 없지만, 그 색조가 유난히 내 마음을 움직였다. 휘파람새를 닮아 살짝 고상함이 엿보이는 날개에, 차분한 벽돌색을 닮은 가슴은 불면 날아갈 듯 하늘하늘하다. 가슴 주변에 부드러운 물결을 이따금 일으키며 얌전히 꼼짝 않고 있다. 놀라게 하는 건 죄를 짓는 것 같아, 나도 한동안 난간에 기댄 채 손가락 하나 까딱하지 않고 꾹 참고 있었는데, 의외로 새는 아무렇지도 않은 것 같아, 결국 마음먹고 살며시 몸을 뒤로 뺐다. 그러자 그 순간, 새가 포르르 난간 위로 날아올라 내 눈앞에 왔다. 나와 새 사이는 불과 한 자 정도이다. 나는 반쯤 무의식적으로 오른손을 아름다운 새에게 내밀었다. 새는 부드러운 날개와 가냘픈 발과 물결치는 가슴과 함께 자신의 운명을 나에게 맡기기라도 하듯, 맞은편에서 내 손 안으로 고이 날아들었다. 나는 그 순간 그 동그란 머리를 위에서 바라보며, 이 새는…… 하고 생각했다. 하지만 '이 새는……' 하고서 그다음이 아무리 해도 생각이 나지 않았다. 그저, 마음 밑바닥에 그다음이 숨어 있으면서 전체를 흐릿하게 만드는 것 같았다. 이 마음속 깊은 곳에 스며들어 있는 것을 어떤 신비로운 힘으로 한곳에 모아서 똑바로 쳐다본다면, 그 모양은 — 역시 지금, 여기, 내 손 안에 있는 새와 똑같은 색의 똑같은 모습일 것이다. 나는 곧바로 새장 안에 새를 넣고, 봄날의 햇살이 기울어질 때까지 바라보았다. 그리고 이 새는 어떤 마음으로 나를 보고 있을까 하고 생각했다.

얼마 후 산책을 나갔다. 딱히 갈 데도 없지만, 즐거운 마음으로 마을을 몇 개나 지나, 북적이는 거리를 갈 수 있는 데까지 가니, 길이 오른쪽으로 꺾이다가 왼쪽으로 꺾이다가 하고, 낯선 사람들이 수도 없이 나타난다. 아무리 걸어도 북적이고 쾌활하며 편안하기에, 나는 어느 지점에서 세상과 접촉하고, 그렇게 접촉하면서 일종의 갑갑함을 느끼는지, 상상하기도 힘들다. 낯선 사람 수천 명을 만나는 건 즐겁지만, 그저 즐겁기만 할 뿐, 그들의 눈 모양도 코 모양도 전혀 머리에 남지 않았다. 그때 어디선가 방울이 기와의 처마에 떨어진 것 같은 소리가 나기에 정신이 번쩍 들어 맞은편을 보니, 10미터쯤 앞에 있는 샛길 입구에 한 여자가 서 있었다. 뭘 입고 있었는지, 어떤 머리 모양을 하고 있었는지는 거의 알 수 없었다. 눈에 비친 것은 단지 그 얼굴이다. 그 얼굴은 눈도, 입도, 코도, 하나하나 따로 서술하기가 어렵다. 아니, 눈과 입과 코와 눈썹과 이마가 함께 하나가 되어, 오로지 나 한 사람을 위해 만들어진 얼굴이다. 백 년 전부터 이곳에 서서, 눈도 코도 입도 한결같이 나를 기다려 온 얼굴이다. 백 년이 지나도 나를 따라 어디까지나 갈 얼굴이다. 말없이 말을 하는 얼굴이다. 여자는 말없이 뒤로 돌았다. 쫓아가 보니, 샛길이라고 생각한 것은 골목길로, 평소의 나라면 주저할 만큼 좁고 어두침침하다. 하지만 여자는 말없이 그 안으로 들어간다. 말이 없다. 하지만 나에게 뒤따라오라고 말한다. 나는 몸을 옴츠리고 골목길 안으로 들어갔다.

검은 포렴이 하늘거리고 있다. 흰색 글자가 물들여져 있다. 그 옆에는 머리를 스칠 정도로 헌등이 튀어나와 있었다. 한가운데에 '산가이마쓰(三階松)'라고 가게 이름이 쓰여 있고, 그 밑에는 '본점'이라고 쓰여 있었다. 그 옆에는 찹쌀 과자가 유리 상자에 가득 담겨 있었다. 그 옆에는 처마 밑에 사라사 천 조각 대여섯 개를 사각형 틀 안에 나란히 놓은 것이 걸려 있었다. 그리고 향수병이 보였다. 그러고 나서 골목길은 새까만 창고의 흙벽에서 막혀 있다. 여자는 두 자쯤 앞에 있었다. 그러다가 갑자기 내 쪽을 돌아보았다. 그리고 갑자기 오른쪽으로 돌았다. 그 순간, 나의 머리는 문득 아까 보았던 그 새의 마음이 되었다. 그리고 여자를 뒤따라 나도 곧바로 오른쪽으로 돌았다. 오른쪽으로 돌자, 더 긴 골목이 좁고 어두침침하게 끝없이 이어져 있다. 나는 여자가 말없이 생각하는 대로, 이 좁고 어두침침하고, 끝없이 이어진 골목길 안을 새처럼 어디까지나 뒤따라갔다.

(1909년)

가을 풀

나카 간스케

꽤 오래전 어느 가을밤의 추억이다. 솨아 솨아, 바람이 불고, 별이 모닥불처럼 깜박이는 밤이었다. 절망스러울 정도로 기운이 빠져 돌아가려고 하는 나를, 아름다운 사람이 불러 세웠다.

"꽃을 따 드릴게요."

그렇게 말하며 가위와 손잡이가 달린 촛대를 들고 내려왔다. 그리고 헤엄을 치는 듯한 손놀림으로 우거진 가을 풀숲을 헤치고, 하얀 목덜미와 손목 언저리로 메뚜기처럼 날아드는 밤이슬, 불빛에 반짝이는 거미줄을 피해 이리저리 몸을 나부끼며, 발소리도 없이 나무들 속으로 들어간다. 대신 들고 있는 촛대로 발밑을 비추면서 우거진 풀 속으로 녹아 들어가는 하얀 발뒤꿈치 자국을 따라가니, 벌레 소리가 뚝 그치고 풀대가 튀어 올라 탁 하고 사람을 때린다. 흐드러지게 자란 가을 풀의 물결 속에 반쯤 가라앉은 큰 키의 자태가, 아득히 먼 별빛과 희미하게 비치는 모닥불 그림자에 비쳐 용왕의 딸처럼 보인다.

이따금 하늘에서 바람이 불어와 촛불을 꺼뜨리려고 하면, "어머" 하고 커다란 눈이 뒤를 돌아보고, 가위 소리가 잠깐 그친다. 놀란 나방이 촛대 주변을 빙글빙글 날아다니며 긴 눈썹을 감춰 버린다. 그렇게 말없이 탱알꽃이며, 큰까치수염꽃이며, 마타리꽃이며, 흐드러지게 핀 가을 풀꽃들 사이로 이리저리 발길을 옮겨 가는 모습을 나는 벅찬 가슴으로, 모든 별이 하늘의 동쪽에서 나와 서쪽으로 도는 것보다 더 고귀하다는 듯이 바라보고 있었다.

지금 여기에 있는 흰색, 노란색, 담홍색의 가느다란 리본 몇 가닥에 군데군데 파랗게 물들어 있는 것은 그때 하나하나 잘라서 다발로 만들었던 풀의 즙이다. 하지만 나는 이 중에 어느 것이 그날 밤의 것이었는지 이제는 기억이 나지 않는다.

(1935년)

나카 간스케(中勘助) 1885~1965

시인, 소설가. 나쓰메 소세키의 제자였지만 눈에 띄는 것을 싫어했으며, 문단과 거리를 두고 특정 파벌에 얽매이지 않은 고고한 문인으로 알려져 있다.
그의 대표작 《은수저》는 자전적 소설로 나쓰메 소세키의 극찬을 받았다. 이 작품은 슬로 리딩의 선구자로 알려진 하시모토 다케시가 중학교 국어 수업에서 유일한 교재로 정해 3년에 걸쳐 수업한 독특한 교육 방법으로 큰 화제를 불러일으키기도 했다.

머리에 꽂은 꽃

쓰무라 노부오

도가쿠시*의 달밤은 9월에 접어들면, 며칠 밤이고 계속 되었다——.

오래전, 여기 절에서 일하던 사무라이가 살던 집들과 길쭉한 헛간 한 채의 벽을 따라 맨드라미가 피어 있고, 벌써부터 겨울맞이 준비를 하고 있는지 땔나무가 높이 쌓여 있었다.

오래된 이미지 같은 삼각 초가지붕 그림자를 밟으며 저택 주변을 한 바퀴 돌고, 나는 정원으로 나와 그대로 정원과 접하고 있는 글방으로 들어갔다.

---

* 나가노 현에 있었던 마을로 지금은 나가노 시에 편입되었다. 2천 년 전에 건립된 도가쿠시 신사로 유명하다.

절의 정원은 지금 주지의 조부인지 증조부인지 하는 사람이 만들었다고 한다. 그는 히에산(比叡山)*에서 온 천태종 승려로, 멀리 시나노에 있는 이 산속에 와서도 교토를 잊지 못했던 모양인지, 정원에는 거친 풍랑의 흔적은 남아 있어도 여전히 한적하고 우아한 정취가 느껴졌다. 두 그루뿐인 싸리나무 꽃은 벌써 지고 있었다.

그날 밤 내 꿈속에서는 ——

정원은 한낮처럼 달빛이 선명했다. 가벼운 짚신 발자국 소리가 나더니, 사립문 그늘 안에서 한 소녀가 나타났다. 동그란 얼굴의, 귀걸이가 잘 어울릴 것 같은 얼굴이었다. 소녀는 두세 걸음 걷다가 휘익 돌아서더니, 나를 등지고는 엉뚱한 쪽을 향해, 이리 와, 이리 와, 하고 손짓을 했다. 그리고 갑자기 싸리나무 한 그루에 다가가더니 아무 생각 없이 꽃을 따기 시작했다. 나는, 알고 있어, 내가 보고 있어, 하고 마음속으로 생각했다. 그런데 갑자기 싸리꽃 도둑 소녀가 내 쪽으로 돌아보았다. 때마침 유난히 맑은 달빛에 소녀는 지장보살처럼 가는 눈썹을 모으더니, 작은 싸리나무 가지 두 개를 머리에 꽂으며 "싸리꽃은 싫어하

* 교토에 있는 산으로, 일본 천태종의 본산지이다.

나요?" 하고 물었다. 그리고 살짝 고개를 갸웃한다. 내가 대답이 없자, 소녀는 손에 들고 있던 작은 가지를 아쉬워하지도 않고 버리더니, 두 손을 등 뒤로 돌려 맞잡는 것 같은 몸짓을 했다. 보고 있으니, 마치 마술사처럼 이번에는 한 손에 진홍색 꽃을 한 송이 들고 있었다. "달리아는 싫어하나요?" 하며 소녀는 그 한 송이를 또 머리에 꽂으며 보여 주었다. 조금 전보다 더 고개를 갸웃하면서. 나는 그 순간, 알고 있어, 그대가 누군지 알고 있어, 하면서 하마터면 그 이름을 말할 뻔했다. 그러자 소녀는 마치 현재에서 스르륵 빠져나갈 것 같은 기색을 보였다. 그 다음은, 내 꿈속에서도 한 조각 구름의 그림자가 비친 듯, 아무것도 기억나지 않았다.

내 꿈은 아무런 맥락도 없이 또 다른 꿈으로 이어졌다.

나는 문고리의 쇠 장식에 보라색 술이 달린, 묵직한 글방의 장지문을 열었다. 안은 깜깜했다. 나는 그 방을 서둘러 가로질러, 술이 달린 또 다른 방 장지문의 쇠 장식을 당겼다. 역시 어둠이 커다란 입을 벌리고 있었다. 그렇게 몇 개의 방을 지나갔을까. 그리고 몇 번째 방이었을까. 나는 분명, 교창(交窓)에 그려진 아름다운 주홍색 모란꽃을 보았다. 그것이 어둠 속에서 내 발길을 멈추게 한 것이다.

"……는 싫어하나요?"

그런 다정한 목소리는 어디서도 들려오지 않았다. 그런데도 마치 그 싸리꽃을 소녀가 머리에 꽂아서 보여 주었을 때처럼, 내 마음은 선명한 주홍색으로 그려진 그 모란꽃에 아쉬움이 남아 견딜 수가 없었다…….

도가쿠시의 아침은 나무가 많아서 그런지 내 방까지 해가 잘 들지는 않았다. 다다미 복도 위를 밟으며 지나가니, 내 발소리에 사물 하나하나가 잠을 깨는 것 같았다.

세면장에서 내 맞은편에 서 있는 절의 아가씨가 눈에 들어왔다.

아가씨는 "안녕하세요" 하고 인사하고, "이거 쓰세요" 하며 대야 하나를 건네주었다. 또 한 아가씨는 물을 갈고 용담꽃을 꽂고 있는 참이었다.

"용담꽃이네요" 하고 내가 말했다.

"오늘 아침 일찍 뒷산에서 따 왔는데 색이 좀 안 좋아서요."

그렇게 말하며 "방에 꽂아 두실 거라면 좀 더 좋은 걸로 하세요. 고시미즈가하라 들판이나, 목장까지 가는 길에는 벌써 잔뜩 피어 있어요" 하고 덧붙였다.

"이것도 전혀 나쁘지 않아요."

나는 그렇게 말하고 그 가지 하나를 손에 쥐었다. 도가

쿠시의 하늘색이 스민 것 같은, 깊은 가을의 향기가 났다.

"멋진 꽃이네요." 나는 또 한 번 말했다.

꿈을 하나 꾸고, 또 하나의 꿈을 꾸었다. 하지만, 이건 꿈이 아니야, 라고 생각하면서 나는 용담꽃을 한동안 손에서 놓지 못하고 있었다.

(1939년)

쓰무라 노부오(津村信夫) 1909~1944

시인. 무로 사이세의 가르침을 받으며 활동했다. 주변의 일상을 소재로 알기 쉽고 다정한 언어를 구사한 서정 시인이다.
소박한 생활을 지향한 쓰무라는 신슈 지방을 매우 사랑하였는데, 특히 나가노 현의 도가쿠시에 대한 애정이 깊어 《도카쿠시의 그림책》 등의 산문집을 남겼다.
에디슨병으로 서른다섯 살에 요절했다.

꽃 이야기

데라다 도라히코

달맞이꽃

고등학교 기숙사에 들어간 해의 여름 끝 무렵에 있었던 일이다. '여름밤이 짧다'라는 말은 기숙사 이층에서 자면서 처음으로 몸소 배운 말이다. 잠버릇이 나쁜 옆자리 학생에게 발로 차여 잠이 깨면, 시계는 겨우 4시를 넘겼는데도, 반쯤 열린 침실 유리창에 밤이 희부옇게 밝아와, 잠이 덜 깬 눈에는 늘어놓은 모기장의 연한 녹색이 마치 꿈처럼 비친다. 창밖으로 편백나무의 높은 우듬지가 보이고, 그 위에는 방금 잠을 깬 듯한 뒷산이 보인다. 이부자리는 그대로 둔 채 살그머니 빠져나와 운동장으로 내려가니, 넓은 잔디밭이 이슬을 받아, 맨발에 걸쳐 신은 군화를 적신다. 메뚜기가 놀라 뛰어오르는 소리도 상쾌하다. 잔디밭은 소나무 벌판에 둘러싸여 있고, 곳곳에 달맞이꽃이 흐드러지게 피어 있었다. 그 속을 밟아 흐트러뜨리며 넓은 운동장을 한 바퀴 도는 사이, 붉은 햇살이 시계탑을 물들이며 취사장의 우물이 위세 좋게 삐걱거리기 시작했다.

그 무렵 어느 날 밤, 나는 묘한 꿈을 꾸었다. 마치 운동장 같은, 넓은 들판 속을 어슴푸레한 달빛을 받으며, 꿈인지 생시인지 모른 채 헤매고 있었다. 희미한 밤안개가 풀잎 끝에 내려앉고, 사방은 얇은 비단으로 감싸인 듯하다. 어디선가 풀꽃 같은 향기가 나는데, 무슨 향기인지 알 수 없다. 발밑에서부터 사방으로 온통 달맞이꽃이 피어 있다. 젊은 여자 하나가 내 옆에서 나란히 걷고 있는데, 이 세상 사람이라고는 생각할 수 없는 창백한 얼굴 윤곽에 달빛을 받으며 말없이 걷고 있다. 연한 잿빛 기모노의 긴 옷자락에도 역시 달맞이꽃이 아름답게 물들어 있었다.

왜 이런 꿈을 꾸었는지 지금 생각해도 알 수가 없다. 꿈에서 깨어 보니, 유리창이 어렴풋이 희부옇고 벌레 소리가 들려왔다. 식은땀이 나고 가슴이 쥐어뜯기는 듯한 기분이 들었다. 일어나자마자 이불에서 나와 운동장으로 내려가,

달맞이꽃이 피어 있는 주변을 몇 번이고 이리저리 걸어 다녔다.

그 후로도 나는 아침마다 운동장으로 나갔지만, 그때까지 그곳을 걸었을 때처럼 상쾌한 기분은 들지 않았다. 오히려 무척이나 쓸쓸한 느낌만 들었는데, 그 무렵부터 나는 서서히 나와 나의 몸을 깎아 내는 것 같은 우울한 공상에 빠지게 되었다. 내가 불치의 병을 얻게 된 것도 그 무렵이었다.

용담꽃

같은 반에 후지노라는 아이가 있었다. 여름 소풍으로 실습용 숲에 갈 때는 자주 나와 같은 조가 되어 측량 같은 것을 하며 걸었다. 보기에 병약한 느낌으로, 키가 훌쩍 크고 몸에 비해 머리가 작고, 늘 몸을 앞으로 숙이고 걷는 남자아이였다. 말이 없고 늘 뭔가 멍하니 생각하고 있는 것 같아서 보통의 쾌활한 무리에게는 그다지 환영받지 못하는 편이었다. 하지만 무척 소심하고 착한 아이로, 온화한 눈에는 어딘지 사람을 끄는 힘이 있었다. 나는 이 남자아이의 얼굴을 보면 왠지 모르게 불쌍하다는 생각이 들었다. 이 아이의 과거와 현재의 처지에 대해서는 본인 스스로도 딱히 이야기한 적이 없고, 다른 사람에게도 들은 적이 없었지만, 왠지 불행한 사람이라는 느낌이 처음 만났을 때부터 가슴속에 새겨져 버렸다.

어느 여름, 숲길을 만드는 실습을 하러 숲에 갔을 때의 일이다. 후지노 외에도 서너 명과 함께 한 조가 되어, 산속 오두막에서 2주 동안 함께 생활하게 되었다. 오두막이라고 하지만, 절벽 밑에 비스듬히 통나무를 맞대어 세우고, 그 위를 거적이나 삼나무 잎으로 덮은 다음, 바닥에는 널빤지를 깔고 각자 담요를 둘둘 말고 뒹굴뒹굴 자는 것이다. 오두막 한구석에 돌을 모아 아궁이를 만들면, 나무꾼이 와서 밥을 해 주었다. 하루 일과를 마치고 돌아와, 오두막에서 절벽으로 피어오르는 푸른 연기를 산길에서 올려다보는 건 유쾌했다. 이런 오두막에서도 집에 와 있는 듯한 기분이 든다. 밤이 되면 천장의 통나무에 매단 램프 불빛으로 달려드는 벌레를 쫓으면서 필요한 계산을 하거나 도안을 그리고, 때로는 비스킷 깡통을 둘러싸고 다들 엎드려 누워 잡담을 할 때도 있다. 주로 학교에서 떠도는 소문이나 선생들의 흉내를 내며 떠들고 웃지만, 때때로 야한 이야기가 나올 때도 있었다. 이럴 때 후지노는 남의 이야기를 듣는지 안 듣는지 알 수가 없고, 왠지 불안한 기색을 띠며 뭔가 생각에 잠긴 것 같았는데, 이따금 품에서 수첩을 꺼내 낙서를 하고는 했다.

어느 날 한밤중에 잠이 깼는데, 산은 고요하고, 달빛이 아궁이를 비추고 있었다. 오두막 밖에서 발자국 소리가 나기에 거적 틈새로 내다보니, 푸른 달빛 아래서 후지노가 어슬렁어슬렁 걷고 있었다.

매일 아침 일어나면 늘 미소시루에 밥을 말아 먹고, 세오돌라이트와 폴을 짊어지고 나간다. 목적지에 도착하면 기계를 설치하고 교대로 관측을 시작한다. 후지노는 다른 사람의 차례가 되면 나무 그루터기에 걸터앉거나 풀 위에 드러누워 여느 때처럼 생각에 잠겨 있다가, 드디어 자기 차례가 되면 허둥지둥 다가와 기계를 보며 열심히 눈금을 읽는데, 왜 그런지 가끔 어처구니없이 잘못 읽을 때가 있다. 노트를 들고 있는 다른 친구들이 그건 너무 다르잖아, 하고 주의를 주면, 잘못 읽은 것을 알아차리고 얼굴이 새빨개져 부끄러워 어쩔 줄을 몰라 한다. 실수야, 실수, 하고 변명을 한다. 되도록이면 후지노는 눈금을 읽지 않았으면, 하고 다들 속으로 생각했지만 그럴 수도 없어서 그냥 차례대로 읽게 한다. 그러면 다섯 번에 한 번은 틀렸는데, 그때마다 몹시 부끄러워하며 슬픈 표정을 짓는다. 그러고는 무릎을 끌어안으며 더더욱 생각에 빠지는 것이다.

이런 식으로 그럭저럭 2주가 흘러, 슬슬 마무리하고 돌아가기 얼마 전이었을 것이다. 하루 종일 큰비가 내려 안개가 자욱해, 작업이고 뭐고 아무것도 못 하는 바람에 다들 오두막에 틀어박혀 자고 있었다. 그때 후지노의 수첩이 내 옆에 떨어져 있기에 별생각 없이 집어서 펼쳐 보니, 산에 흐드러지게 피어 있던 용담꽃 하나가 갈피에 끼워져 있고, 온통 낙서로 가득했다. 그리고 그 안에 은행잎 모양으로 머리를 올린 여자의 얼굴이 몇 개나 그려져 있고, 또 Fate라고 하는 글자가 온갖 글씨체로 어지럽게 잔뜩 쓰여 있었다. 드러누워 자고 있던 후지노가 일어나서 그것을 보고는 얼굴이 새파래졌지만 아무 말도 하지 않았다.

능소화

소학교 시절 가장 싫어한 과목은 산수였다. 항상 산수 점수가 나빴기 때문에 걱정이 된 부모님이 중학교 선생에게 부탁해 여름방학 동안 선생의 집으로 배우러 가게 되었다. 우리 집에서 선생의 집까지는 사오백 미터나 떨어져 있다. 우리 집 뒷문을 나가 작은 강을 따라 조금 걸으면 마을 변두리가 나오고, 선생님 집에 있는 키 큰 소나무가 주변의 초가지붕과 나무들 위로 솟아오른 것이 보인다. 여기에 능소화가 밑에서부터 구석구석까지 휘감겨 아름답다.

매일 오전 어머니에게 주의를 들으며, 내키지 않지만 집을 나선다. 집 뒤편 개울에는 아름다운 수초가 맑은 물 밑에서 넘실넘실 흔들리고 있다. 그 사이를 이따금 작은 붕어 떼가 하얀 배를 반짝이며 지나간다. 아이들이 발가벗은 등과 가슴에 진흙을 바르고, 개울에 들어가 찰방거리고 있다. 나뭇조각으로 물레방아를 만드는 아이도 있고, 대야를 배처럼 띄워 타고 가는 아이도 있다. 나는 부러운 마음을 억누르고 개울가의 풀을 쥐어뜯으며, 석판을 들고 서둘러 선생님 집으로 간다. 대나무 울타리가 둘러 쳐진 대문을 들어서면, 현관 옆에 종종 멍석을 깔아 놓고 누에고치를 말리고 있었다. 현관에서 안으로 들어가면, 살결이 가무잡잡한 부인이 나와 "더운데 열심이구나" 하며 방으로 안내한다. 깨끗이 청소한 뜰을 마주한 툇마루 가까이에 낮은 책상을 놓아 준다. 선생이 나와서 말없이 책장에서 산수 문제집을 꺼내 준다. 가로로 긴 노란색 표지에 목판으로 인쇄된 낡은 책이었다. "갑과 을, 두 사람의 나그네가 있고, 갑은 한 시간에 1리를 걷고 을은 1리 반을 걷는다……" 이런 문제를 읽고 의미를 설명해 주고는, 한

번 풀어 보라고 한다. 선생은 툇마루에 나가 하품을 하거나 부엌 쪽으로 가서 큰 소리로 부인과 이야기를 하기도 한다. 나는 그 문제를 앞에 두고 석판 위에 석필로 끄적이며 생각을 한다. 객실 툇마루의 처마 밑에는 투망과 그물이 매달려 있고 중인방에 낚싯대가 여러 개 걸려 있다. 나그네 을이 나그네 갑을 몇 시간 만에 따라잡을 수 있는지 나는 도저히 알 수가 없고, 생각을 하고 있으니 머리가 달아오르고 앉아 있는 발에 땀이 배어 나와 옷이 찰싹 달라붙는 게 기분이 나쁘다. 머리를 쥐어 싸고 뜰을 바라보니, 소나무의 높은 줄기에 새빨간 능소화가 뜨겁다는 듯이 피어 있다. 때마침 선생이 나와서 "어때, 어렵니? 어디 보자" 하며 내 앞에 앉는다. 천 조각을 돌돌 뭉친 석판 지우개로 구석구석 석판을 닦고 찬찬히 설명해 준다. 이따금 알겠니, 알겠니, 하고 물어보지만, 거의 알아들을 수가 없는 것이 묘하게 슬펐다. 고개를 숙이고 있으니 콧물이 저절로 매달려 꾹 참고 있는데 이러다 떨어지겠다 싶어 힘껏 들이마시는 것도 괴로웠다. 점심때가 가까워지자 부엌에서 그릇 소리가 나고 뭔가를 굽는 냄새가 난다. 배가 고픈 것도 괴로웠다. 몇 번을 가르쳐 줘도 끝내 잘 모르는 걸 보고는 선생도 슬픈 듯한 목소리를 살짝 높일 때도 있었다. 그것이 또 묘하게 슬펐다. "이제 됐다. 내일 다시 오너라"

라는 말을 들으면 하루의 일과가 어찌 됐든 끝난 것 같은 기분이 들어 잽싸게 돌아왔다. 집에서는 아무것도 모르는 어머니가 이것저것 시원한 음식을 만들어 기다리고 있다가, 땀범벅이 된 얼굴을 찬물로 씻어 주고 오냐오냐해 주는 것이 또 묘하게 슬펐다.

밤꽃

3년 동안 하숙했던 요시즈미 씨네 집은 구로카미 산 기슭에서도 조금 더 들어간 곳이다. 집 뒤에는 작은 뜰이 있고, 그 바로 위는 절벽으로, 큰 나무가 우거져 겹겹이 뒤덮여 있다. 저물어 가는 한 해의 낙엽수 열매와 함께 직박구리의 울음소리도 처마 끝에 떨어졌다.

내가 하숙을 하던 별채에서 대문을 드나들려면 반드시 이 뒤뜰을 가로질러야 한다. 뜰을 접하고 있는 객실 끝 쪽에 다다미 석 장짜리 작은 방이 있었는데, 멋스러운 둥근 창이 나 있었다. 그곳은 주인집 아가씨가 사는 방으로, 둥근 창 모양의 장지문은 여름에도 닫혀 있었다. 그 방 바로 위에는 커다란 밤나무가 있어, 초여름 시험을 앞두고 공부로 바빠질 때쯤이면 술이 달린 노란 끈처럼 생긴 꽃이

지붕에서 뜰로 한가득 떨어져 내렸다. 떨어진 꽃은 썩으면서 달콤한 듯한 강한 향기가 작은 뜰을 가득 메웠다. 여기에 커다란 파리들이 기세 좋게 날개 소리를 내며 모여든다. 힘찬 자연의 왕성한 기운이 머릿속을 뒤덮는 것 같았다. 이 꽃이 떨어지는 창 안에는 수줍음 많은 아가씨가 틀어박혀 책을 읽거나 바느질 연습을 하고 있었다.

내가 이 집에 처음 왔을 때 아가씨는 열네댓 살쯤이었는데, 모모와레*로 묶은 머리를 이마에 늘어뜨리고 있었다. 살결이 가무스름하고, 얼굴 생김새가 예쁘지는 않았지만, 눈매가 서글서글하고 왠지 귀여운 데가 있는 아이였다. 주인 부부 사이에 아이가 없어 친척 아이를 데려와 키우고 있었다. 아가씨 말고는 커다란 삼색고양이뿐이어서 무척 쓸쓸한 집이었다.

나를 늘 말이 없는 괴짜로 생각할 정도로, 나는 주인집 가족들과 친하게 잡담을 하는 일도 거의 없었고 아가씨에게 상냥하게 말을 건 적도 없었다. 매일 식사 때가 되면 이 아가씨가 나막신 소리를 내며 부르러 온다. 그 지방의 사투리로 "식사하세요" 하고 말을 던지며 종종걸음으로 돌아갔다. 처음에는 정말 어린아이라고 생각했는데, 매년

* 살쩍 부분을 살짝 부풀려 복숭아 모양으로 올려 묶는 소녀의 머리 모양.

여름 고향에서 돌아올 때마다 어딘지 모르게 어른스러워진 것이 내 눈에도 종종 보였다.

졸업시험을 앞둔 어느 날, 등불을 켤 때쯤, 복습하기도 지겨워 별채 툇마루로 나가 보니, 밤꽃 향기가 이미 익숙해진 몸에도 새삼 스며드는 듯했다. 안채 앞에 서 있는 나무들 속에서 아가씨가 흰빛이 도는 기모노에 붉은 오비를 매고, 고양이를 안고 서 있었다. 내 쪽을 보며 여느 때와 달리 얼굴이 발개졌다는 것을 어슴푸레한 속에서도 나는 알 수 있었다. 그러고는 똑바로 이쪽을 바라보더니 묘한 미소를 보이다가, 뭔가에 쫓기기라도 하듯 방으로 뛰어 들어갔다.

그해 여름을 끝으로 나는 그 지방을 떠나 도쿄로 갔는데, 이듬해 초여름 즈음에 거의 잊고 있었던 요시즈미 씨네 집에서 편지가 왔다. 아가씨가 쓴 것 같았다. 그동안 연하장 말고는 소식을 들은 적이 없었는데, 무슨 생각에서인지, 그 지방의 상황을 세세하게 들려주었다. 내가 전에 세 들어 살던 별채는 그 후로 아무도 하숙하고 있지 않다고 한다. 도쿄라는 곳은 분명 좋은 곳이겠지, 평생에 한 번은 가 보고 싶다, 그런 말도 쓰여 있었다. 별다른 것도 없지만 어딘지 모르게 고혹적인 데가 있는 건 역시 젊은 사람이 쓴 글이어서 그럴 테다. 편지 말미에는, 밤꽃도 피겠지요, 머지않아 지겠지요, 라고 쓰여 있었다. 이름은 어머니 이름으로 쓰여 있었다.

상산나무꽃

아직 소학교에 다닐 무렵, 곤충 채집이 친구들 사이에서 유행했다. 나도 어머니에게 졸라 찢어진 모기장으로 잠자리채를 만들어 달라고 해서, 복날 땡볕에도 겁도 없이 그걸 어깨에 메고 매일같이 곤충을 잡으러 나갔다. 나비나 나방, 투구벌레 같은 것이 많이 살고 있는 시로야마 산속 여기저기서 많은 날들을 보냈다. 니노마루와 산노마루의 들판에는 희귀한 나비와 메뚜기가 수두룩하다. 조금 우거진 숲으로 들어가면 나무줄기에 다양한 투구벌레를 볼 수 있다. 비단벌레, 풍뎅이, 방아벌레 종류가 엄청 많았다. 강한 초목 향기에 숨이 막힐 듯하면서도, 가슴을 두근대며 이런 곤충들을 찾아다녔다. 잡은 곤충은 뜨거운 물이나 장뇌에 담갔다가, 과자 상자를 접어 만든 표본 상자에 예쁘게 진열했다. 그렇게 표본 상자의 수를 늘리는 것이 즐거움이었다. 곤충을 잡으러 갔다 돌아오면 온몸은 땀범벅에 얼굴은 불덩이 같았다. 왜 그렇게 곤충을 좋아했을까, 하고 어머니는 지금도 그때 이야기를 한다. 나이를 먹으면서 재미있는 일을 만나기도 하지만, 그 시절 희귀한 곤충을 발견하고 잡았을 때처럼 짜릿한 기쁨은 드물다. 지금도 나는 시로야마 산속 우거진 숲에서 푹푹 찌는 썩은 나무 향을 떠올릴 수 있다.

언젠가 시로야마 산기슭의 수로와 맞닿은 숲으로 들어갔더니, 커다란 상산나무 한 그루가 있고 분홍색을 띤 꽃이 나뭇가지 끝을 온통 뒤덮고 있었다. 떨어진 꽃은 바람에 날려, 물가에 썩어 가라앉은 배 위에 아름답게 흩뿌려져 있었다. 이 나무줄기는 군데군데 벌레가 파먹은 구멍이 있고, 구멍 안에는 자잘한 나무 부스러기가 벌레의 배설물과 함께 뒤섞여 풍기는 냄새가 코를 찔렀다. 나무줄기 위쪽에 멋지게 생긴 커다란 장수풍뎅이가 근엄한 뿔을 치켜세우고 있는 것을 발견했을 때는 기뻤다. 내 표본상자에는 아직 멋진 장수풍뎅이가 한 마리도 없었기 때문에 두근두근하며 잠자리채를 들어 올렸다. 잠자리채가 닿을 듯 말 듯 했지만 겨우겨우 잡아, 허리춤에 매단 곤충바구니에 잽싸게 넣고는 터질 듯한 기쁨을 안고 숲을 나왔다.

산노마루의 돌계단 아래까지 내려오자, 맞은편에서 아름다운 양산을 든 여자가 아이의 손을 잡고 나무 그늘을 따라 걸어오고 있었다. 마을의 어느 양갓집 부인과 아이였을 것이다. 양산을 든 손에 약병을 들고, 다른 한 손에는 아이의 손을 잡고 걸어왔다. 아이는 커다란 새 밀짚모자 끈을 귀여운 턱 밑에 걸고, 새하얀 옷을 입고 있었다. 내가 들고 있던 곤충 바구니를 보자 어머니의 손을 놓고 가까이 와서 들여다보더니, 눈을 동그랗게 뜨고는 어머니 쪽으로 달려가 소매를 세게 잡아당기다가 다시 곤충을 보러 왔다. 어머니는 어서 오라고 불렀지만, 아이는 도무지 내 곁을 떠나려고 하지 않는다. 내가 억지로 데려가려고 하자, 길 한복판에 쪼그려 앉더니 끝내는 울음을 터뜨렸다. 어머니가 어쩔 줄을 몰라 하며 야단을 쳤다.

나는 그때, 곤충 바구니를 열고 장수풍뎅이를 꺼낸 다음, 길가의 왕바랭이 한 포기를 뽑아 곤충의 뿔을 단단히 잡아맸다. 그리고, 자, 여기, 하고 아이에게 건네주었다. 아이는 울음을 그치고 멋쩍은 듯 기쁜 표정을 지었다. 어머니는 놀라서 아이를 야단치면서도 고맙다고 했다. 나는 왠지 쑥스러운 기분이 들어 아무 말없이 텅 빈 곤충 바구니를 힘차게 흔들며 뛰어갔는데, 기쁜 듯도 하고 아쉬운 듯도 한, 일찍이 느껴 본 적이 없는 기분이 들었다.

그 후로도 종종 똑같은 상산나무 아래에 가 보았지만, 그때처럼 멋진 장수풍뎅이는 더 이상 볼 수 없었다. 그리고 그때의 그 아이와 어머니도 다시 만나지 못했다.

들장미

여름의 산길을 여행했을 때의 일이다. 고개를 넘고 나니 갑자기 바람이 사라져, 찌는 듯이 더워졌다. 좁은 골짜기를 따라 계단식으로 논이 들어서 있고, 그 가장자리를 누비는 오솔길에는 잠자리의 날개가 반짝이고, 이따금 뱀이 길에서 기어 나온다. 골짜기를 덮는 거무스름한 하늘에는 때때로 흰 구름이 지나가지만, 그저 여기저기 산봉우리에 쪽빛 그림자를 끌며 지나갈 뿐이다.

목이 말라 참을 수가 없다. 길가의 논 가장자리를 따라 작은 도랑이 흐르고 있는데, 가을빛을 띤 물은 푸른 수면 위로 펼쳐져 희미한 빛을 반사시키고 있다. 길을 가다가, 우거진 숲속에서 길을 가로질러 논으로 흘러가는 샘물을 발견했을 때는 괜히 기뻤다. 짚신을 신은 채로 얼른 발을 담그니 시원함이 온몸에 스며들었다. 길가에서 조금 들어가니, 여기는 유달리 떡갈나무와 졸참나무가 검게 무성하다. 이끼는 축축하고 게가 기어 다니고 있다. 벼랑에서 스며 나오는 물은 아름다운 풀고사리의 잎 끄트머리에서 똑똑 떨어져, 벼랑 아래 있는 바위의 홈에 고이고, 남은 물은 넘쳐서 이끼 밑으로 빠져나가 흐른다. 작은 대나무 국자가 둥둥 떠 있는 채로 물방울을 맞고 있다. 나는 국자를 씹어 먹을 듯이 배 속으로 스며드는 맛있고 차가운 물을 맛보았다.

조금 떨어진 벼랑 아래에 커다란 들장미나무가 한 그루 있고, 순백의 꽃이 흐드러지게 피어 있다. 나는 가까이 다가가 진한 향기를 맡으며 작은 가지를 꺾었다. 사람의 기척이 느껴져 문득 뒤돌아보니, 지금까지 전혀 알아채지 못했는데 우거진 나무 그늘에서 땔나무를 베는 여자 하나가 쉬고 있었다. 등에 짊어질 섶나무를 벼랑에 기대어 놓고, 각반을 맨 다리를 뻗은 채 가만히 이쪽을 보고 있었다. 전혀 생각지도 못했기에 깜짝 놀라 마주 쳐다보았다. 천 조각을 이어붙인 기모노는 옷자락이 짧고, 새끼줄로 허리를 매고 있다. 흰 수건을 눈썹 아래까지 깊숙이 덮어쓰고 그 밑으로 검은 머리카락이 이마에 늘어뜨려져 있다. 뜻밖에도 아름다운 얼굴이었다. 도시에서는 볼 수 없는 건강한 얼굴색은 살짝 햇볕에 그을려 더한층 아름답다. 남에게 주눅 들지 않는 검은 눈동자로 똑바로 나를 쳐다보았을 때, 나는 어쩐지 나무람을 당하고 있는 듯한 기분이 들었다. 나도 모르게 맥없이 인사를 한 번 하고 그곳을 떠났다.

매미가 울어, 찌는 듯한 더위는 더더욱 강렬하다. 방금 꺾어온 들장미를 맡으며 이삼백 미터쯤 걸어가니, 맞은편에서 섶나무를 짊어진 어떤 젊은이 하나가 올라왔다. 자신의 키보다 더 큰 섶나무를 지고 느릿느릿 걸어왔다. 늠름하고 검붉은 얼굴에 머릿수건을 감고, 허리춤에는 잘 갈아놓은 낫이 번쩍이고 있다. 스쳐 지나갈 때, 그가 "실례합니다" 하더니 내 얼굴을 슬쩍 쳐다보았다. 얼마쯤 가다가 뒤돌아보니, 젊은이는 벌써 샘물이 흐르는 근처까지 올라가 있었는데, 그도 뒤돌아보더니 나를 바라보았다. 나는 왠지 이유도 없이 손에 들고 있던 들장미를 길가에 버리고, 가는 길에 앞에 있는 또 다른 샘물을 향해 서둘러 걸었다.

(1908년)

데라다 도라히코(寺田虎彦) 1878~1935

물리학자, 수필가. 물리학자이면서 그림과 문학에도 조예가 깊었다. 그의 수필은 과학과 예술이 결합한 격조 높은 문학으로 높이 평가받으며 지금도 많은 사랑을 받고 있다.
나쓰메 소세키의 제자로, 《나는 고양이로소이다》에 등장하는 물리학자 간게쓰, 《산시로》의 노노미야의 모델로도 알려져 있다.

나의 색비름

마쓰네 도요조

작년 가을, 뜰 한구석을 꾸민 것은 잿날 때 묘목으로 몇 그루 사 온 색비름이었다. 그 씨앗이 어쩌다 땅에 떨어졌는지, 올해는 저 혼자 뜰이며 밭이며 가리지 않고 온통 싹을 틔웠다. 소엽맥문동이 핀 섬돌 옆에도 피고, 가지밭에도 군데군데 피고, 담장 옆에도 길가에도 피었다.

이 풀은 얼핏 작은 잡풀처럼 보이기도 해서, 뜰을 밟고 지나가는 나막신에 자칫 어린 생명이 다치기라도 할까 봐, 일구어 놓은 땅에 두세 치나 되는 싹을 하나하나 조심조심 옮겨 심는다. 이파리 하나라도 벌레 먹은 흔적이 보이면 또 그만큼 잎이 새로 난다. 하나둘 잎이 마르면, 뿌리 쪽을 다져 주고 거름도 뿌려 준다. 햇볕이 너무 뜨거울 때는 못쓰게 된 우산을 씌워 준다. 하루에도 몇 번이나 물을 뿌려 주었는지 모른다. …… 이렇게 돌봐 주는 것은 분주한 머릿속이 지쳐 갈 때쯤인데, 어설프게 피로한 때는 이 작은 풀에 대한 사랑이 오히려 더 깊어 갔다.

종류는 두 가지였다. 하나는 잎 전체가 붉은색이고, 또 하나는 파란색 잎에 가운데만 선홍색이다. 이걸 두 군데로 나눠 심었는데, 한쪽은 한곳에 몰아 심어 숲처럼 만들고, 또 한쪽은 띄엄띄엄 심어 정원처럼 만들었다. 그래서 두 가지 모습 다 즐기려고 했다. 양쪽 다 쑥쑥 잘 자라서, 가장 키가 큰 것은 허리, 배꼽까지 오더니 나중에는 가슴께까지 자랐다. 야아, 올해 색비름 자란 것 좀 봐, 하고 혼자 속으로 뿌듯해했다. 때로는 멀리 있는 친구에게 소식을 전해 그 성장을 자랑하기도 하고, 또 어떨 때는 이층 난간에 기대 내려다보면서 혼자 시를 읊으며 즐거워한다.

여기까지
색비름 자라거라
이층 위 난간

나는 옛날부터 색비름을 정말 좋아했는데, 작년에 처음으로 그것을 뜰에 심었다. 그리고 작년에 꽃이 다 질 때쯤,

마음에 드는 좋은 꽃씨를 모아 두려고 마음먹었지만, 일이 바빠 그만 시기를 놓치는 바람에 참새들에게 쪼아 먹히게 한 것이 내내 마음에 걸렸다. 올해도 잿날에 씨앗을 사 오긴 했지만 영 시원찮아서 기운이 빠져 있는데, 이렇게 많은 싹이 저절로 자라났으니 그 기쁨은 더더욱 각별했다. 그런 까닭에 안 그래도 좋아하는 색비름을 마치 사랑하는 자식이나 연인처럼 아끼고 돌보았더니, 그 모습이 주변 사람들 눈에는 이상하다 싶을 만큼 애절하여 제정신이 아닌 것처럼 비친 모양이다. 아아, 색비름, 나의 색비름은 역시 나를 저버리지 않았구나, 그렇게 나는 그 싹의 성장에 눈물이 어릴 만큼 환희를 느꼈다.

나는 여기저기 다니면서, 저절로 싹을 틔워 어엿하게 자라나는 나의 색비름에 대해 이야기했다. 숙모 한 명은 "나한테도 꼭 두세 그루 나눠 줘" 하고 말했다. 어떤 친구는 "왜 그런지 난 올해 하나도 안 폈는데. 그럼 나한테도 좀 줘" 하고 말했다. 그 밖에도 여러 사람이 원해서 "그쯤은 아무것도 아니야. 다음에 올 때 가져오지" 하고 가는 곳마다 대답했다.

그러는 동안 색비름은 쉰 그루쯤 쑥쑥 자라서, 작은 것도 거의 다섯 치나 되고, 가장 큰 것은 내 눈높이까지 왔다. 작년에 나쓰메 소세키 선생에게 색비름을 그려 달라고 부탁한 적이 있는데, 그때 선생은 키가 큰 꽃을 종이 한가득 그리고, 그 옆에 달필로 큼직하게 글을 써 주셨다.

색비름이여
키가 다섯 치나
자라났구나

내 마음은 이 시와 똑같았다. 이렇게 하루하루 나의 진심을 색비름에게 전하며 가을을 맞이하려고 할 즈음이었다.

거대한 불이 휩쓸었다.

"시들고 마른 건 불에 탄다 해도, 생생히 살아 있는 이 작고 사랑스럽고 가련한 것이 어떻게……."

반평생을 써 온 작품 대부분이 불에 타는 것도 애통한 줄 모르고, 나는 그렇게 어리석게 중얼거렸다. 하기는 집들도 사라지고, 동네도 마을도 사라지고, 도시조차 대부분 사라지지 않았는가.

그때, 나는 불길을 눈앞에 두고 마지막 작별 인사를 하러 정든 이층으로 올라갔다. 깜깜한 집 안을 희미한 등불에 비추며 한 바퀴 둘러보았다. 하나하나 전부 정이 든 물건이라 이것도 저것도 가져가고 싶은 욕심이 새삼 솟구쳤다. 분명 아직 몇몇 물건은 들고 나갈 여유가 있었고, 꼭 가져가야 할 것도 많았다. 하지만, 이미 마음을 먹었어, 그냥 단념하자, 지금은 마지막 작별을 할 시간이다, 그렇게 생각하며 나는 온 힘을 눈에, 눈 밑바닥에 있는 마음의 눈에 담고, 10년 가까이 살던 집과 그동안의 온갖 추억들에 잠깐이라도 충실하려고 애를 썼다. 계단을 내려가다가 밖을 내다보니, 입구 옆 다락방 너머로 불티가 하늘로 날아오르는 모습이 점점 다가오고 있다. 조금이라도 더 늦게 타거라, 이 서재에는 불이 붙지 말아라, 그런 생각을 하며 작은 창 덧문을 꼭 닫았다. 아래층에서 어머니가 거실을 한번 돌아보고 툇마루로 나가 뜰로 내려가려고 할 때, 머리 위 상인방에 매달아 놓은 바구니 안에서 방울벌레가 깊어 가는 초가을 밤을 고요히 노래하고 있었다. '어찌 이 생명을 불태울 수 있겠는가' 하는 생각에 내보내 주려고 하다가, 꺼내 준들 어차피 살 수 없을 텐데, 이 기구한 운명이여, 차라리 정든 이 집과 함께 날 대신해 죽어 주렴, 하고 그대로 두고 나왔다.

뜰은 집채 높이로 덮쳐 오는 불길에서 떨어져 있어 아직도 깜깜했다. 그 깜깜한 속, 그곳, 그곳에는 '나의 색비름'이 새벽이 되면 내가 뿌려 줄 물을 기다리며 지금은 조용히 밤이슬의 은혜를 받으며 잠들어 있다. 집 안을 한 바퀴 비춰 본 등불을 나는 도저히 뜰 쪽으로 돌릴 수가 없었다. 그토록 아끼던 사랑스러운 그들에게 마지막 눈길을 주지 않기 위해서. 아아, 그걸 본다는 것은 도저히 견딜 수가 없었다.

나는 '나의 색비름'이 지금도 잿더미 아래에 그때 그대로 살아서 하루하루 자라고 있다고 믿는다. '나의 색비름'이 내 영원한, 내 마음속 눈물이 샘솟는 바닥에서.

(1941년)

마쓰네 도요조(松根東洋城) 1878~1964

하이쿠 시인. 마쓰야마 중학교 시절 영어 교사였던 나쓰메 소세키를 평생 스승으로 삼으며 가르침을 받았다. 소세키의 소개로 하이쿠 시인 마사오카 시키를 알게 되었고, 시키가 창간한 잡지 《호토토기스》의 동인으로 활약했다. 작품집으로 《하이카이도》와 수필집 《먹빛》 등이 있다.

복숭아가 있는 풍경

오카모토 가노코

식욕도 아니고 정욕도 아니다. 육체적인지 정신적인지 분야를 알기 어려운 그리움이 저기압의 소용돌이처럼, 내 목구멍 안쪽에 울적하게 찾아와 끊임없이 내게 갈증을 불러일으켰다. 내가 소녀였을 때, 도쿄 변두리의 부모님 집에 다실로 꾸며 놓은 이층 방에서 살던 무렵이다. 나는 잠들어 있을 때도 깨어 있을 때도 붉은 오비를 맨 채 지내면서, 그 불만이 어디서 왔는지, 어떻게 하면 풀릴 수 있을지, 멍하니 애를 먹고 있었다.

사람들이 만약 그것을 성의 욕망에 관한 변태였을 것이라고 말한다면, 어쩌면 그럴지도 모른다고 대답할 것이다. 마침 내 나이도 그런 말을 듣기에 타당했다. 하지만 나는 그렇게 대답하면서도, 굳이 순서를 정한다면 그 이유는 맨 나중으로 해 달라고 부탁한다. 그만큼 나에게는 그 감정이 정리되어 가는 도중의 세세한 고민이 그립고 소중하기 때문에.

어머니는 단순히 병이라고 결론 지어 버리고 나의 이상한 병증에 흥미를 가지고 돌봐 주었다.

"떡을 구워서 뜨거운 미숫가루에 넣어 줄 테니 그걸 먹어 보렴. 틀림없이 그곳에 응어리진 기분이 풀릴 거야."

"천리향 꽃 말린 걸 욕조 안에 넣어 줄 테니까 들어가 봐. 그러면 좋은 향기에 정신이 팔릴 거야."

어머니는 말은 안 했지만, 어쩌면 어머니가 소녀 시절에 앓았던 우울증에는 그런 것들이 잘 들었던 모양이다.

색깔, 소리, 향기, 맛, 촉감의 다섯 감각 중에서 어머니는 의식하지 못하지만, 그녀의 우울증은 특히 후각을 중심으로 미각과 촉각에 문제를 일으켰던 것 같은데, 그것은 나에게 권하는 음식의 종류로 알 수 있었다. 내가 그것들을 좋아하지 않은 것은 아니었다. 하지만 한꺼번에 뒤섞인, 게다가 순수하고 상쾌한 충족을 원했다.

"좀 더 몸이 푹 잠길 것 같은 음료수는 없어?"

"촉촉하게, 이렇게 손으로 만져질 것 같은 음악을 듣고 싶어."

어머니는 끝내 두 손을 들고 말았다.

"남자들이 쓰는 검은 우산을 꺼내 줘."

"샌들을 꺼내 줘."

"강 건너에 복숭아를 보러 갈 거니까."

내가 꼭 남성에 굶주려 있었던 건 아니었다. 나룻배로 건너간 건너편 강가의 찻집 옆에는 그 무렵 매일같이 마을에서 나를 찾아오는 길에 잠시 이젤을 세우고 강가의 사생화를 그리는 미술 학도가 있었다. 그 미소년은 불량스러운 척했지만 원래 도시에서 자란 선한 사람이었다.

나는 그를 나중에 남편으로 받아들였을 정도였으니 꽤 좋아하기는 했다. 하지만 그 무렵의 내 욕구에 비춰 보면, 그는 그저 하나의 대상일 뿐이었다는 것이 그에게 미안했다.

찻집의 접이 의자 위에, 회색 비단 옷깃을 단 감색 무명옷을 입은 미소년의 모습이 얼핏 움직인다. 오늘 그는 찻집의 테이블에서 술을 마시고 있다. 내가 손을 흔들어 따라오면 안 된다고 신호를 보내자, 그는 웃으며 순순히 다시 술을 마시기 시작했다. 나는 둑을 따라 강가를 걸어갔다.

긴 둑에는 사람이 없고, 하천 개수 공사의 돌담에 쓰이는 돌이나 대나무가 흩어져 있었다. 춥다는 생각은 들지 않았는데 강기슭에 대어 있는 뗏목 옆에는 모닥불이 연기를 피워 올리고 있었다. 모든 것이 젖은 색을 띠고 있었다. 하얀 연기조차 액체로 보이며 피어오르고 있었다.

강 위쪽은 온통 은회색의 아지랑이에 갇혀 있고, 그 속에서 폭이 넓은 강이 조금 탁하게 흘러내리고 있었다. 둑이 무너진 곳에 널빤지가 놓여 있고 그곳에서 복숭아밭으로 흘러가게 되어 있다. 나는 여기서 바라다보이는 둑과 언덕 사이의 평지 전체와, 언덕 기슭의 3분의 1 정도까지 심어져 있는 복숭아나무 숲이 지금이 한창이라는 듯 줄지어 꽃피어 있는 강렬한 색채에 살짝 반감이 들면서 멈춰 섰다. 하지만 바라보고 있으니 온통 진홍빛의 구름 같은 꽃잎에 부드러운 연두색의 복숭아나무 잎들이 사람을 그리워하며 스며 나와 있는 것에 마음이 풀려, 검은 우산을 접고 복숭아나무 숲으로 들어갔다.

과감히 복숭아꽃 안으로 들어가면 모든 것을 잊을 수 있었다. 교태를 띤 창백하면서도 연분홍색을 띤 신비로움이 옷도 살갗도 투과해 미각에 상쾌한 차가움을 주었다. 그 미각을 음미하는 혀가 몸 안의 어디에 있는지는 알 수 없었지만 음미할 수 있었다. '덴주로'라고 하는, 마치 사람 이름처럼 들리는 이 복숭아의 이름을 떠올리고 우스워졌다. 나는 하하하 하고 소리 내어 웃었다.

차가운 것이 자꾸만 얼굴에 닿는다. 나는 상관하지 않고 접어서 거꾸로 세운 우산에 기대어 웅크리고 앉아 쉰다. 우산 손잡이 위에 올린 양손에 턱을 괴고, 나는 뭔가를 조용히 듣는다. 본능이 나를 그렇게 만들며 뭔가를 듣게 하고 있는 것 같다. 복숭아나무 숲이 있는 곳은 대개 강모래가 양쪽 기슭에 넘쳐나는 가벼운 지층이다. 비로 적당한 습기를 머금은 모래 위에 나의 샌들은 맨발을 태우고 나긋나긋하게 잠기며 나아간다. 똑, 똑, 꽃잎에 고인 빗방울이 모래에 떨어지는 소리를 듣고 있으면, 몽환처럼 크고 아름다운 오감이 어우러진 세계가 쿠션처럼 떠올라 몸 주변을 감싼다. 내 마음은 그곳에 가라앉아 한동안 몽롱해진다.

이런 일종의 황홀감에 젖어 나는 또다시 찻집의 미소년 앞을 손을 흔들며 지나가 집 이층으로 돌아간다. 나는 내가 남들과 다른 것에 때때로 죽고 싶어졌다. 하지만 이런 내 몸속에 가지고 있는 것을, 적어도 문장으로 정리하기 전에는 죽을 수 없다고 생각했다. 책상 앞에서 엉엉 기쁘게 눈물을 흘렸다.

훗날, 나는 이탈리아의 플로렌스에서 '산타마리아의 꽃의 성당'을 보았다. 온갖 색채의 대리석을 모아서 세운 그

성당은 햇빛을 받으면 광물이면서 꽃의 살결이 된다. 성당이면서 꽃이다. 죽음이면서 삶, 그곳에 감도는 향기마저 느낄 수 있다. 나는 심리의 공감성 작용을 기조로 하는 이 역사상 예술의 증명에 의해, 나 자신의 특이성에서 보편성을 발견하고, 삶을 견디겠다고 다짐했다.

사람은 괴로워도 예술에 의해 구원될 것이라고.

(1937년)

오카모토 가노코(岡本かの子) 1889~1939

소설가, 시인. 시인으로 활동하다가 만년에 소설가로 데뷔하여 왕성한 창작 활동을 했다. 아쿠타가와 류노스케를 모델로 한 소설 《학은 병들었다》를 가와바타 야스나리의 소개로 문단에 발표하면서 소설가로 데뷔하였다. 대표작으로 《스시》, 《늙은 기생》, 《모자 서정》 등이 있다.
일본을 대표하는 아방가르드 예술가 오카모토 다로의 어머니이다.

병실에 드리워진 꽃

오카모토 가노코

봄은 내가 툭하면 신경쇠약에 걸리는 계절이다. 왠지 안절부절못하고 들뜨거나, 굳게 입을 닫고 온종일 생각에 잠기거나 한다. 그런데다 벚나무가 희미하게 꽃의 장막을 드리운다. 우아하고 부드러운, 하지만 역시 안에 갇혀 버린 듯한 답답함을 느낀다. 일본의 봄 벚꽃은 사람의 눈썹보다 위쪽에서 핀다. 그리고 대부분은 가지를 높이 드리운 채 여기저기서 사람을 기다린다. 때로는 너무나 성가시고 집요하게 숨 막힐 듯한 관능으로 벚꽃은 나의 봄 곳곳에서 기다린다. 이런 신경쇠약자의 강박관념이나 우울함은 벚꽃에게는 그저 귀찮은 것일 테다. 하지만 그건 오히려 내가 벚꽃을 너무 사랑하는 나머지 벚꽃의 미관이 내

깊은 곳에 사무쳐 나타나는 반동인지도 모른다. 벚꽃이 없는 봄의 나라를 상상해 본다. 얼마나 단조로울까. 너무나 단조로워서 미쳐 버릴 것이다. 일본의 벚꽃은 꽃잎이 알맞게 달려, 적당히 불어오는 미지근한 봄바람에 부질없이 사람의 얼굴을 느닷없이 스치며 흩어진다. 벚꽃이여, 피어라 피어라, 성가실 정도로 한껏 피어라. 꽃이 피어 늘어진 가지가 좋다.

하지만 나는 아직 벚꽃에 대한 우울함이나 강박관념에 대해 이야기를 끝내려는 것이 아니다.

10년 전, 나는 어떤 사건 때문에 신경의 일부분이 망가진 적이 있다. 내 신경은 그 일 때문에 큰 상처를 입었다. 그해 봄, 내가 들어간 정신병원에 흐드러지게 핀 벚꽃의 어마어마함, 바다나 짙은 구름을 대할 때처럼 처음에 나는 그저 멍하니 그 아름다움에 마음이 울렸다. 하지만 잠시 후 가련한 정신병자들이 산책하는 것을 보며, 정원 가득 피어 있는 벚꽃에서 일종의 묘한 아름다움이 비치고 있는 것을 느끼기 시작했다. 의미도 없이 생글생글 웃는 사람, 하늘을 쳐다보며 합장하는 사람, 속옷 차림으로 벗은 옷을 이리저리 뒤집으며 쳐다보는 사람, 머리를 빗거나 묶으며 작은 손거울을 들여다보는 사람, 보호자의 손을 얌전히 잡고 편안하게 잔디밭을 걷는 사람, 남녀노소 전부 합쳐 열 명쯤 되는 환자들이 이제 막 점심 식사를 마치고 잠시 이곳으로 산책하러 나와 있다는 것을 알았다. 벚꽃이 하염없이 그들 위로 떨어진다. 어느 환자는 귀찮다는 듯이 그걸 머리에서 떨쳐 내고, 또 한 사람은 손을 흔들며 떨어냈다. 하지만 대부분은 작은 꽃잎이 뺨을 스치고 가슴 안으로 들어가도 아무 관심도 없었다. 무관심이 더한층 가련함을 불러왔다.

나는 진찰 순서를 기다리는 동안 한 시간 가까이 멍하니 그 정경을 뚫어지게 바라보고 있었다. 조금 전부터 유난히 내 눈을 끈 마흔 안팎의 남자 환자가 있었다. 러일전쟁에 출정할 때 부르던 군가를 몇 번이나 부르고는 정원을 빙빙 돌고 있었다. 그가 한 바퀴씩 돌기 시작하는 지점이 마침 우리가 서서 바라보고 있는 복도의 튼튼한 유리문 앞이었다. 남자는 그곳에 올 때마다 직립하여 유리문 너머의 우리를 올려다보고 미소를 지으며 거수경례를 했다. 우리도 말없이 순순히 인사했다. 남자는 거기에 만족하고 또다시 몸을 돌려 넓은 벚꽃 정원을 원을 그리며 걷기 시작했다. 군가를 부르는 그의 목소리는 음역이 넓은 베이스로 군데군데 쉬어 있었다. 그것이 미친 사람의 목소리의 특징이라는 것을 나중에 들었는데, 참으로 비통하게 들렸다. 남자는 러일전쟁 중 부상을 당하고 미쳐서 이

병원의 환자가 되었다고 하는데, 만성병인 대신 행동거지는 무척 온화해서 안전하다고 했다. 그 가련한 남자가 우리 앞에서 한 바퀴 돌 때마다 벚꽃은 전보다 더 많은 꽃잎을 떨어뜨리며 그의 몸에 달라붙었다. 특히 남자의 머리에 꽃잎이 많이 떨어졌는데, 꽃잎 사이로 여기저기 뻗은 머리카락 속에서 굵게 치솟은 은색의 흰머리가 오후의 봄 햇살에 반짝이며 보였다. 나는 그걸 보니 더더욱 우울해졌다. 나를 돌봐 주는 사람이 눈치를 채고 나를 진찰실 쪽으로 데려가는데, 복도 끝 중앙 정원 맞은편에 있는 병동의 어느 병실에서 날카로운 여자의 고함소리가 들리기 시작했다. 여기에도 가지가 휘도록 흐드러지게 핀 벚꽃나무 아래 어느 병실의 창 하나가 새까맣게 입을 벌리고 있었다. 우물 안 같은 병실 안쪽에 두세 명의 인간의 소맷자락인지 옷자락인지 하얗게 펄럭이며 희미하게 움직이는 것이 보였다……. 나는 당황하여 눈을 돌렸다. 당황한 시선을 어떻게 해야 할지 몰라 창가의 벚꽃으로 눈을 돌렸다. 나는 소름이 돋았다. 그 벚꽃 색의 처절함에.

꽤 오래전 어느 날 밤, 나는 친구 집의 다실에 묵게 되었다. 한밤중에 문득 잠이 깼다. 문밖에 벚나무가 빙 둘러싸여 있고…… 벚꽃이…… 이슥하게 피어 있는 고요한 벚나무가 한밤중에…… 용마루를 짓누르며 벚나무가…… 벚나무가 이슥하게…… 나는, 소름이 돋아 이불을 뒤집어썼다.

이튿날 아침 해가 높이 떠, 방 주위의 벚나무가 환하게 빛나고 있을 때쯤 나는 눈을 떴다. 내 몸은 이불 속에서 딱딱하게 웅크린 채, 가만히 땀을 흘리고 있었다.

(1924년)

꽃집의 창

가타야마 히로코

저물어 가는
야마테 언덕길에
불빛이 비쳐
꽃집의 창에 비친
노란 국화 흰 국화

이 시는 1936년경 요코하마의 야마테 언덕길에서 읊은 것인데, 그때 꽃집에 있던 꽃들의 색깔도, 길에 비쳤던 흰 전등 불빛도 이제는 전혀 떠오르지 않는다. 몇 번을 읊어 봐도 소용이 없기에 그대로 내버려 두었다. 하지만 시는 그렇다 해도, 그때의 가을날 해 질 녘 언덕 풍경을 나는 그 후로도 가끔 떠올리곤 했다.

아직 세상이 조용하던 때로, 오모리산노에 있던 딸과 사위가 요코하마에 놀러 오라고 나를 부른 적이 있다. 놀러 간다고는 해도 평일 오후 4시쯤 출발했으니 저녁 식사나 함께할 생각이었는데, 그 전에 사위가 무척 좋아하던 프랑스 영사관 앞의 공터에 가서 산책을 했다. 그 무렵의 택시 요금은 1엔 50전 정도로, 핫케이 언덕에서 프랑스 영사관이 있는 언덕 위까지 우리를 데려다주었다.

아직 석양이 따뜻한 언덕의 들판을 걸어 다니다가 벼랑 끝으로 나오니, 바다는 벌써 해가 가라앉아 갈매기 몇 마리만이 높고 낮게 날고 있었다.

그 들판에서 잠시 쉬었다가 영사관 옆길로 들어가 가파른 언덕길을 내려가기 시작했다. 한쪽은 벼랑이고 다른 한쪽은 오두막 한두 채가 있었지만, 문이 잠겨 있고 불빛도 없어 짧은 겨울 해가 완전히 저물어 버린 언덕길은 어둑어둑했다. 언덕길 끝까지 내려오자, 하얀 불빛으로 길을 비추고 있는 집이 있었다. 꽃집이었는데, 안에는 서양 꽃들이 가득했고 커다란 유리창에는 흰색, 노란색의 꽃송이가 큰 국화가 활짝 피어 있었다. 화분에 피어 있는 것이 노란 국화이고 꽃꽂이용으로 잘린 꽃이 흰 국화였는지, 혹은 그 반대였는지 지금은 생각나지 않지만, 그 창은 눈부실 정도로 환한 세계를 어두운 길에 보여주고 있었다. 야마테의 외국인들이 사는 집에 꽃을 배달해 주는 가게 같았는데, 그 주위에 다른 가게는 하나도 없어 보였다. 그때 가게 안에도 길 위에도 사람이라고는 우리 말고 아무도 없는 조용한 밤길을 왼쪽으로 빠져서 난킨 마을 쪽으로 걷다가, 헤이친 중국 요릿집에서 저녁 식사를 했다.

그 후에도 요코하마에는 몇 번인가 물건을 사러 가거나 놀러 가기도 했지만, 그 꽃집이 있는 길에는 그 뒤로 간 적이 없다. 하지만 집에 돌아오면 그 꽃집은 오늘도 꽃이 가득할까, 하고 생각할 때가 있었다. 황폐해진 요코하마가 부쩍부쩍 활기를 되찾고 있다는 말을 듣고 나는 또 예전처럼 그 꽃집 창의 불빛에 비친 국화꽃을 머릿속에 떠올리기 시작했다.

며칠 전, 《매화, 말, 휘파람새》라는 아쿠타가와 류노스케의 수필집을 읽는데, 아쿠타가와가 게이티좌(座) 극장* 에 살로메를 관람하러 가는 길에, 저녁 무렵 언덕길 어디에선가 꽃집의 밝은 유리창을 어둠 속에서 바라보는 장면이 있었다.

* 1870년 요코하마에 세워진 극장으로 관동대지진 때 무너져 없어졌다. 1912년 리하르트 스트라우스의 오페라 《살로메》가 상연되었는데, 그때 고등학생이던 아쿠타가와가 공연을 관람했다.

"고등학생인 우리 네 명은 해 질 무렵 기차를 타고 7시 몇 분쯤인가 요코하마에 도착했다. 그리고 얼마나 걸었는지는 확실히 기억나지 않는다. 다만 어느 언덕길을 걷는데 집들도 보이지 않는 어둠 속에서 환한 유리창 하나가 있고, 그 창 안에 국화꽃이 가득 피어 있던 것을 기억한다. 아마도 서양인을 상대로 하는 꽃집이었던 것 같다. 그런데 잠깐 들여다봤지만, 창 안에는 아무도 보이지 않았다. 그리고 국화꽃이 가득한 위로 담배 연기가 원을 하나 그리며 공중에 떠다니고 있었다. 나는 그 창 앞을 지나갈 때 묘하게 즐거운 마음이 들었다."

이것은 야마테 언덕길에 있는 그 꽃집이 분명하다. 묘하게 즐거운 마음이 들었다고 작가가 말한 데서 나 역시 묘하게 즐거워져, 국화꽃이 가득한 위로 떠다니던 담배 연기를 마치 나도 본 것 같은 착각까지 들었다. '꿈의 고향*' 이라고 한 말은 에둘러 한 표현이겠지만, 아쿠타가와 씨도 나도 고요히 가라앉은 세계를 각자의 다른 시간에서 바라보고 있었던 것이리라.

(1953년)

* 수필 안에서 아쿠타가와가 꽃집을 표현한 말.

가타야마 히로코(片山廣子) 1878~1957

시인, 수필가, 아일랜드 문학 번역가. 마쓰무라 미네코라는 필명으로 활동했다. 만년의 수필집 《등화절》은 일본 에세이스트클럽 상을 받았다
아쿠타가와 류노스케가 만년에 연모한 여성으로 알려져 있다. 아쿠타가와보다 14살 연상의 미망인으로, 두 사람은 가루이자와에서 처음 만나 서로에게 끌렸다고 한다. 아쿠타가와가 《어느 바보의 일생》에서 "재능을 겨룰 수 있는 여자"라고 말한 여성이라고 알려져 있다.

가을 안개

미야모토 유리코

짙은 가을 안개가 내려앉아 물을 쏟아부은 것 같은 비스듬한 함석지붕에 온통 별이 깜빡인다.

이웃집 담 너머에 줄지어 선 벚나무의 꽃들이 안개와 빛줄기 때문에 한창때처럼 아름답게 보인다.

사르륵사르륵 내가 지나가면, 좌우로 갈라지는 소리가 들리는 것 같은 안개에 감싸인 조용한 풍경이 뜨거운 뺨과 머리를 기분 좋게 식혀 준다.

짙게 낀 봄 안개는 선명히 머리에 떠오를 만한 모습을 근래에 본 기억이 없는데, 가을 안개의 뭐라 말할 수 없이 고요한 모습은 봄 안개의 아름다움에 뒤지지 않을 것이다.

봄 안개는 사람의 마음을 칭칭 감아서 사바세계의 한 복판으로 데려간다. 가을 안개는 금욕적이고 은둔적인 기분으로 가득 차 있다.

나는 아직은 가을 안개 쪽을 좋아한다.

가끔은 차분한 머리가 되고 싶기 때문이다.

가을 안개가 자욱한 속에 홀로 서서, 발밑에 뻗어 있는 내 그림자를 바라보며, 나뭇잎에 안개가 스치는 울림과 낙엽 떨어지는 소리를 귀 기울여 듣고 있으면, 저절로 마음이 맑아지고 어떤 무한의 빛 속으로 끌려들어 간다.

말로는 표현할 수 없는 마음의 기쁨을 느낀다.

집집마다 지붕 위에 물 같은 별이 깜빡이고, 달빛까지 비치며, 바스락…… 바스락…… 이따금 낙엽이 진다.

무당벌레가 지지지—— 희미하게 울고 있다.

내 머리도 손발도 온전히 달빛에 비쳐 얼어붙은 것처럼 구석구석까지 하얗게 보인다.

나는 나 자신이, 고요한 한밤중, 오래전 화려했던 황폐해진 정원에서 발이 풀숲에 파묻힌 채 서 있는, 명장이 만든 불상 같다는 생각이 든다.

이 안개도, 이 달도, 또한 이 별빛조차도, 그 안에는 오직 나라고 하는 한 사람만이 존재하게끔 만들어진 것 같은 생각도 든다.

몸은 안개 속을 떠돌고, 마음은 상상 속을 흐른다.

은의 안개. 달의 황금.

그 안에서 또다시 내 이름이 불릴 때까지 나는 상상의 나라 속 여왕이다.

(1914년)

미야모토 유리코(宮本百合子) 1899~1951

소설가, 평론가. 17세에 《가난한 사람들의 무리》로 문단에 등단하면서 천재 소녀 작가로 주목을 받았다. 자전적 소설 《노부코》는 미국 유학 시절 만난 남편과의 이별에 이르기까지의 과정을 담은 자전적 소설로, 근대 일본 문학의 걸작으로 평가받는다.
러시아로 유학을 갔다 온 후, 민주주의 문학 운동에 앞장서며 여러 차례 투옥되기도 했다. 일본의 민주주의 문학, 근대 여성 문학을 대표하는 작가 중 한 사람이다.

새 모이

미야모토 유리코

유리문도 없는 복도에서는 아침저녁의 바람이 몸 깊숙이 스며들게 되었다. 다다미 두 장 반짜리 방과, 모퉁이를 돌면 보이는 작은방의 툇마루는 동남쪽을 면하고 있지만, 오후가 되면 손 씻는 사기그릇을 중심으로 석 자 정도까지만 따뜻한 햇살이 반짝인다. 3시 전부터 싸늘한 냉기가 매끄러운 책장 위를 흐른다. 여름 내내, 여섯 쌍 정도의 작은 새를 넣어 둔 새장은 모퉁이를 돌면 보이는 마루방에 놓여 있었다. 남편의 서재에서 비쳐 나오는 희미한 불빛의 그림자에서 밤늦도록 바스락바스락 새의 보금자리 안에서 꿈틀대는 소리가 들려온다.

그런데 사오일 전, 단풍새 한 마리가 갑자기 죽어 버렸다. 아침까지 건강하고 깃털에도 아무 문제가 없었는데, 해 질 녘 물을 갈아 주려고 보니, 뜻밖에도 선명한 단풍색의 작은 수놈 몸뚱이가 쓸쓸히 횃대 아래에 떨어져 있었던 것이다.

고운 깃털의 다홍색은 빛이 바래지도 않고 부리도 루비를 조각한 것 같아, 몸 안의 문제라고는 생각하기 어렵다. 어젯밤 서리가 내릴 것처럼 쌀쌀했는데 그 추위에 당한 게 틀림없다고 남편이 말한다.

남편은 다른 새까지 얼어붙으면 큰일이라는 듯이 곧바로 불기가 있는 방 안으로 새장을 들였다. 새장은 그가 만든 것이다. 투박하지만 정감 어린 둥근 천장의 새장 안에서 작은 새들은 쓰러져가는 장미 소리를 들으며 따뜻한 꿈을 이어가게 되었다.

세수를 하러 가려고 여느 때처럼 새장 옆을 지나가는데, 오늘 아침에는 웬일인지 좁쌀이 온통 어질러져 있는 것을 알았다. 새장 안에 흩어져 있을 뿐 아니라, 한 자나 떨어진 도코노마*에까지 노란색 알갱이가 떨어져 있다. 그래도 새들은 무심하게 맑은 아침 해를 받으며 나뭇가지를 왔다 갔다 하며 놀고 있다. 아무래도 버릇없는 십자매가

* 방 안에 바닥을 한층 더 높게 만든 곳으로 족자를 걸거나 꽃이나 장식품으로 꾸며 놓는다.

늘 그러듯이, 모이통 안에 몸을 통째로 집어넣고 머리를 흔들며 흩뜨렸을 것이다. 나는 그대로 잊어버렸다.

얼마 있다 점심때가 다가오자 마쓰가 와서 식사하러 오라고 했다. 그 참에 나는 책상에서 일어나 툇마루로 나갔다. 직사광선을 싫어하는 나는 책상을 북향의 작은방 구석에 두고 있다. 그래도 왠지 어렴풋이 찬비가 내린 날, 나도 따스한 양지의 냄새가 그리워졌다. 내년의 꽃을 준비하느라 작은 싹을 부지런히 키우고 있는 난초 화분을 바라보며 무심히 기둥에 기대어 있는데, 새장이 자꾸만 소란스럽다.

아무도 없는 방에 장지문 하나가 활짝 열려 있던 게 떠올라, 혹시 고양이라도 달려든 게 아닐까 하는 생각이 들었다. 나는 일어나서 촘촘한 새장의 망 속을 위에서 들여다보았다. 그리고 뜻밖에도 모이통에 좁쌀이 한 톨도 남아 있지 않은 것을 발견했다.

늘 바삭바삭한 자잘한 알맹이가 8할 넘게 담겨 있는 것을 보아 온 내 눈에 지름 여섯 치쯤 되는 흰 사기그릇의 바닥이 이상하게 차갑고 공허해 보였다. 마음속으로 희미한 충격 비슷한 느낌마저 들었다.

오늘 아침 도코노마 위에 내 눈길을 끌며 좁쌀이 흩어져 있던 이유도 저절로 밝혀졌다. 모이통에는 아마도 어젯밤 사이에, 약간 남은 좁쌀과 먹고 난 껍질만 남아 있었을 것이다. 새벽 2시까지 책상 앞에 앉아 있어야 했던 우리는 그걸 알아차릴 여유가 없었다.

가여운 작은 새는 해돋이와 함께 눈을 뜨고 어쨌든 부리로 쪼아 먹을 만한 알맹이는 다 먹고서, 더 찾아다니며 파닥이는 바람에 가벼운 좁쌀 껍질이 힘없이 후르르 날아 도코노마 위에 떨어졌을 것이다.

처음에 내가 보았을 때부터 새들은 언제쯤 모이통이 채워질까, 하고 비참하게 바라보며 울고 있었을 게 틀림없다. 느닷없이 붉은 새의 사체를 보았을 때보다 나는 더 미안한 심정이 들었다.

나는 급히 좁쌀 상자를 찾았다. 그리고 새장 문을 열고 모이통을 꺼내 껍질을 불어 날리고 두 손으로 좁쌀을 채웠다. 그리고 물도 갈아 주었다. 무척 배가 고팠을 것이다. 손을 넣었을 때, 폴짝 위쪽 횃대로 날아올랐던 새들이 하나씩 하나씩 내려와 내 손가락 끝이 아직 새장 밖으로 나가기도 전에 벌써 무리 지어 먹기 시작했다. 츠츠, 치치, 울지도 않는다. 굶주림의 진지함을 작은 머리와 부드러운 등에 유감없이 드러내며 오로지 좁쌀만 부지런히 쪼아댄다.

희미하지만 끊임없이 피치, 피치, 우는 소리를 들으면서 나는 쓸쓸하고 걱정스러운 마음에 휩싸였다. 작은 새를 키운다는 것, 그 느긋해 보이는 것이 의외로 부자연스럽고, 한쪽의 전횡을 허용하고 있는 것은 아닐까.

이 사랑스럽고 천진한 새들이 만약 우리가 모이 주기를 잊어버리면 굶어 죽어야만 하는 운명에 처해진다는 것을 안다는 건 좋은 기분이 아니었다.

들판의 작은 새는 자연의 위협을 만날 수는 있겠지만, 누군가가 먹이를 깜빡하고 주지 않아 목숨을 잃을 염려는 없다.

나는 눈을 들고 이웃집 지붕의 경사면에서 오동통 살이 올라 햇볕을 쬐고 있는 예닐곱 마리의 참새를 보았다. 어떤 참새는 아무것도 없어 보이는 기와 위를 수수한 부리로 쪼아대고 있다.

한참을 바라본 후 나는 상자에 손을 넣어 좁쌀 한 줌을 힘껏 뜰 앞에 뿌렸다. 인간보다 훨씬 민첩한 눈동자와 본능을 가진 그들이 이끼가 가득 낀 틈새에 좁쌀이 떨어졌다고 해도, 자신들이 좋아하는 진수성찬을 알아차리지 못할 리가 없다.

맨 먼저 지붕에서 내려오는 안내역은 어느 참새가 맡게 될까.

갑자기 뜰에, 저 멀리 하늘 높은 곳에서 작은 새 한 마리가 날아왔다. 휘익, 날렵한 선을 그리며 옆의 노송나무 우듬지에 내려앉았다. 나뭇가지 무리를 떠나 높이 솟은 초록 꼭대기에, 작은 매 같은 튼튼한 머리부터 부리까지의 윤곽이 해를 등진 탓에 그림자놀이처럼 까맣게 채워진 채 보인다. 지저귀지도 않고, 좀스럽게 파닥거리지도 않고, 나무들 속 가장 높은 꼭대기에서 사방을 바라보고 있는 작은 새의 모습은 어떤 기품을 지닌 것처럼 보였다. 가만히 움직이지 않는 초점이 생긴 탓에, 움직이고 있는 흰 구름의 흐름에 그제야 내 눈동자가 머물렀다. 씩씩한 작은 짐승과 한 떨기 우듬지를 앞에 두고, 초겨울의 구름이 조용히 푸른 하늘을 스치고, 서로를 녹이면서 사라져간다. — 나는 저절로 북쪽의 산줄기를 떠올렸다. 지금쯤 어느 들판을 채우고 있을 겨울의 마른 바람 소리와 투명 그 자체 같은 공기의 엄숙함을 생각했다. 뼛속까지 추위가 스며들지만, 이 뜰에 그런 상쾌함이 10분의 1이라도 있을까.

코앞에 있는 집들의 지붕과 비를 맞고 바람에 거칠어진 판자벽을 보고, 내가 서 있는 툇마루 끝으로 눈을 돌려, 겨우 열 평도 채 안 되는 땅에서 뻗어 오르듯 서 있는 몇 그루의 나무를 보았을 때, 나는 말할 수 없는 갑갑함을 느꼈다.

자연을 몰아넣고 또 몰아넣어, 겨우 숨만 쉴 수 있는 틈 속에서 우리는 생활하고 있는 것이 아닐까. 도시에는 여기저기 뜰이라는 이름 아래 잘려 버린 대자연의 일부가 간신히 대지에서 솟구치는 생명의 샘을 지키고 있다. 나는 충동적으로 시원하게 펼쳐진 지평선을 질리도록 바라보고 싶은 갈망을 느꼈다. 풍성한 덮개처럼 우리 머리 위에 걸려 있어야 할 푸른 하늘은 본래의 광채를 잃고 나무와 기와 사이에서 단편적인 사각형을 그리고 있다. 숨결이 느껴지지 않는다. 여기서는 어디에서도 나의 그리운 자연 풍경을 발견할 수 없다. 시각의 속박뿐만이 아니다. 마음도 막다른 곳에 부딪힌다. 동쪽으로 향해도, 서쪽으로 향해도, 풍요로운 가락을 느끼며 퍼지려는 영혼이 여기저기서 가로막혀 애달픈 당혹감을 느낀다. 아아, 들판, 들판. 내가 바라는 것은 보석보다도, 맨션보다도, 오로지 한 번, 살랑살랑 신선하게, 싱그럽게, 광야의 끝에서 불어오는 아침의 산들바람이다.

뜻하지 않은 때에, 전원에 대한 나의 향수가 깊어졌다. 어느새 노송나무 우듬지 위의 새는 가 버리고, 뜰의 징검돌 옆에 참새 한 마리가 내려와 있다. 조금 전, 내가 보았던 지붕 위의 무리 중 하나인 것 같다. 포르르 포르르 날아다니며 쉴 새 없이 좁쌀을 쪼아 먹고 있다. 나는 희미한 기쁨을 느꼈다. 하지만 그 모습을 지켜보고 있으니, 왠지 모르게 서글픈 마음이 들었다.

여기에, 지금, 그를 해하려는 마음을 가진 것은 아마 티끌 하나도 없을 것이다. 두려워해야 할 개나 고양이는 당연히 그림자 하나 얼씬하지 않는다. 으름장을 놓는 듯한 석등도, 큰 나무도, 사람도 없다. 나는 멀리 툇마루에서, 숨을 쉬는 희미한 몸짓도 하지 않겠다는 듯이 들어앉아 있다. 그럼에도 불구하고 참새는 얼마나 조심스러운지. 얼마나 겁이 많은지.

포르르 뛰어올라 한 톨의 좁쌀을 줍는 사이에, 그는 굉장한 날렵함으로 힐끔 좌우를 둘러본다. 오른쪽을 보고, 왼쪽을 보고, 몸을 움츠리며 순간적으로 날아오르는 다짐을 게을리하지 않는다. 귀엽게, 천진하게, 기쁨에 들떠 고개를 움직이는 것이 아니다. 왠지 애처로운, 동양의 불순한 도시풍의 그늘진 어둠이 작은 몸뚱이에 또렷이 비치고 있다.

나는 그 참새가 뭔가를 두려워하며 쏜살같이 지붕으로 돌아가자, 두 줌 세 줌 또 좁쌀을 뜰에 뿌렸다. 내일, 아직 안개가 걷히기 전의 새벽녘, 그의 친구들이 안심하며 여기 와서 두려움 없이 몇 톨의 모이를 먹을 수 있을 것이다.

(1953년)

추운 밤

미야모토 유리코

밤이 부쩍 추워졌다.

꽤 긴 복도를 맨발로 걷기가 힘들어졌다.

낮에 내놓은 대여섯 개의 접시꽃 화분을 들이지 않고 덧문을 잠근 게 생각났다.

겨우 대여섯 그루뿐인데, 게다가 노란 잎이 많아진 것을 오늘 밤 내내 찬 곳에 내놓으면 어떻게 될까? 가늘고 파란 꽃잎이 고개를 축 늘어뜨리고 노란 잎이 더 많아질 게 틀림없다.

나는 펜을 내려놓고 샛문을 통해 밖으로 나간다.

지독한 안개다.

몹시 춥다.

입김이 하얗게 어둠 속을 기어간다.

좁은 문으로 비쳐드는 빛줄기에 내 그림자가 기분 나쁜 모양으로 흔들리고 있다.

볼일도 없이 나와서 걷고 있는 사람도 없는 것 같아, 길에는 발소리도 나지 않는다.

화분 선반 끝에 나란히 놓인 화분을 두 개씩 세 번을 옮긴다.

깜빡하고 땅 위에 내려놓은 바람에 식욕이 왕성한 병아리에게 쪼아 먹힌 잎이 찢어진 채 애처롭게 매달려 있다.

두툼한 잎의 표면이 하얘져 있다.

빨리 알아차려서 다행이라고 생각한다.

진흙이 묻은 손을 휴지로 닦으면서, 저녁때가 되면 화분을 좀 넣어 달라고 부탁해도 분명 들어주지 않을 거라고 생각하니 속상하다.

아무것도 아닌 일인데 좀 해 주면 좋잖아.

그렇게 생각하지만, 어쩌다 어머니에게 그렇게 말이라도 하면,

"아무것도 아닌 일인데 스스로 하면 되잖아" 하고 말할 것 같다.

어른이든 아이든, 자기 생각에 따라주지 않으면 화가 나는 법이다.

방으로 돌아가 잠시 글을 쓰고 있는데 오른손에 힘이 빠져 견딜 수가 없다.

왜 이럴까, 또 관절염인가 하고 생각한다.

나이에 어울리지 않는 병을 갖고 있는 게 부끄럽다.

화재 감시 당번의 딱따기가 큰 소리를 내며 지나간다.

백 미터쯤 앞에 있는 모퉁이를 돌았는데 아직도 들려온다.

그게 조용해지니까 내 방에서 제일 가까운 이웃집 거실에서 뜻은 알 수 없지만 이야기 소리가 또렷이 들려온다.

화재 당번의 소리를 들으니,

"유부초밥 사~려~!"

하고 목소리를 길게 빼며 걷는 '유부초밥 장수'가 생각난다.

시골에서 갓 올라온 하녀가 목욕탕에서 돌아오는 길에, 뭔가 이상한 물건을 들고 고함치며 걷는 미치광이 남자가 오면 골목길에서 숨을 죽이며 그 사람이 지나가기를 기다렸다가 집으로 달려갔다는 이야기도 떠올랐다.

포렴 안으로 고개를 들이밀면 다들 호오 호오 입김을 불며 먹고 있는 오뎅을 조금 먹어 보고 싶은 기분이 드는 것도 이제부터다.

이제 볼일이 없으면 밤에는 나가고 싶지 않아졌다.

옷을 따뜻하게 겹쳐 입고 코끝이 빨개지는 것을 신경 쓰면서 인적도 없는 길을 걸어 봤자 소용없다. 따끈따끈한 고타쓰가 그립다.

(1914년)

하늘의 아름다움

미야모토 유리코

하늘의 아름다움을 말할 때, 대개는 드넓은 하늘, 맑게 갠 하늘을 말한다.

변두리에 살게 되면서부터 나는 또 다른 종류의 하늘의 아름다움이 있음을 알게 되었다. 그것은 대도시 위의 하늘, — 대도시의 거리에 서서 올려다보는 하늘의 아름다움이다. 거기서의 하늘은 그저 한가로이 드넓지만은 않다. 높은 건물, 광고탑, 안테나 같은 것들의 어지러운 선으로 절단된 삼각 하늘, 일그러진 육각 하늘, 슬픈 천 조각 같은 하늘이다.

지붕과 지붕 사이의 좁은 틈새로 공이 떨어진 듯한 달이 보이는 길쭉한 밤하늘, 변두리의 하늘에는 없는 아름다움이 있음을 느낀다.

(1926년)

모깃불

미야모토 유리코

언덕을 끼고 띄엄띄엄 들어선 초가집들의 낮은 처마 끝에서, 또는 숲 그늘과 강기슭에 작고 한가롭게 서 있는 농부의 오두막집 그을린 판자 지붕 위에서, 별이 총총한 맑은 하늘로 피어오르는 모깃불의 연기는 아득히 먼 옛날 사람들의 생활을 그리워하게 하는 그윽함이 있다.

올여름은 후쿠시마의 시골에 내려와 할머니와 오랜만에 이런 소박한 멋이 넘치는, 뭐라 표현할 수 없는 고풍스러운 정경과 가까워질 수 있었다. 저녁의 별님이 반짝반짝 깜빡일 무렵이 되면, 이 집도 저 집도 삼나무의 생 이파리를 태우며 보라색 연기로 모기를 쫓는다. 그리고 사람들은 그 연기를 부채로 내치며, 갈피도 없는 이야기로 여름밤을 지새운다. 어쩌다 괴담 같은 이야기라도 나오면, 그만 삼나무 이파리가 다 타 버린 줄도 모르고 있다가 덮쳐드는 모기 군단에 깜짝 놀라 "어때? 좀 더 지필까?" 하며 또 불을 지피기 시작할 때도 있다. 바람이 없는 밤은 보라색 연기가 꼿꼿이 하늘 위로 올라가지만, 바람이 조금 불 때는 가느다란 비단실이 처마 끝을 휘감으며 부드럽게 감싼 것처럼 세상을 온통 아름답게 만들 때가 있다.

이런 모깃불은 시골이 아니면 볼 수 없지만, 도시에서도 운치 있는 모기향 접시에 향기로운 향을 피우며 모기를 쫓는다. 그것이 여름밤이 그리운 이유 중 하나이다.

(1920년)

생활

하야시 후미코

무엇이 그리워 쓰는 시인가
한꺼번에 피는 매화꽃과 자두꽃
자두꽃의 푸르름 몸에 흠뻑 받으며
시골 생활의 평화로움

나는 무로 씨의 이 시가 좋아서 매일마다 노래처럼 부른다. '무엇이 그리워 쓰는 시인가'. 이 시구처럼 나는 그야말로 뭘 그리워하는지도 모르는 채, 깊은 밤 거의 매일같이 책상 앞에 앉는다. 그리고 그날그날의 시시한 삶을 소설로 쓴다. 저녁 식사를 마치고 나이 어린 하녀와 둘이서 튀김 그릇은 튀김 그릇끼리, 찻잔은 찻잔끼리 모아, 근처에서 상영하는 활동사진 이야기 등을 하며 설거지를 한다. 그리고 꽂아 둔 꽃가지에 물을 갈아 주고 나면 대충 8시가 넘는다. 석간신문 세 부를 들고 이층 서재로 올라가면 화롯불이 사그라들고 있다. 숯을 넣고 쇠주전자를 올려 물이 끓는 동안, 나는 석간 세 부를 훑어본다. 우리 집에서 받고 있는 건 아사히 신문, 니치니치 신문, 요미우리 신문 세 종류로, 맨 먼저 펼쳐 보는 쪽은 연극이나 활동사진 광고 같은 것이다. 〈여자의 마음〉이 있네, 보고 싶다. 〈영원한 맹세〉라는 것도 하는구나, 전부 다 보러 가고 싶어. 그런 생각을 하지만, 광고가 변두리 오두막집에 걸릴 때까지도 보러 가지 못할 때가 많다.

광고를 다 읽고 나면 삼면기사를 읽는다. 삼면기사도 제일 아래쪽의 작은 기사부터 읽기 시작한다. 세 가지 신문에 비슷한 내용이 쓰여 있어도 전부 다 다른 기사처럼 읽혀 너무 재미있다. 정치란은 전혀 읽지 않는다. 그래서 나는 정치 일이라면 소학생보다 더 모른다. 언젠가 니치니치 신문에서 의회라는 곳을 구경시켜 준 적이 있다. 입구에서 남의 호주머니 안까지 손을 집어넣고 조사하는 사람이 있었다. 장내로 들어가니 공기의 악취 때문에 견딜 수가 없었다. 바로 밑에 내려다보이는 의장에는 꾸벅꾸벅 조는 사람도 있고, 어깨를 치켜올린 채 서로 붙들고 싸우는 사람들도 있었다. 그게 의원이라는 사람들이라기에 깜짝 놀라 그길로 관심이 사라졌다.

대충 신문을 다 읽었을 때쯤 쇠주전자의 물이 끓기 시작한다. 이 시간이 나에게는 천국과도 같아서, 안경에 입김을 불어 부드러운 가죽으로 안경알을 깨끗이 닦는다. 그리고 차를 달이고, 책상 위의 이것저것을 만져본다. "아직 튼튼하지?" 하고 물어보는 것 같은 기분이 든다. 펜은 만년필을 쓰고 있다. 잉크는 마루젠의 아테나 잉크. 6백 밀리리터쯤 들어 있는 큰 병을 사 와서 흐뭇하게 용기에 덜어서 쓴다. 2년쯤 쓰는 것 같다. 원고지 앞에는 작은 손거울을 놓아두고 가끔 혀를 내밀거나 눈알을 빙글빙글 돌리며 놀기도 한다. 하지만 긴 글을 쓰기 시작하면 이 거울은 방해가 되기 때문에 이불 위로 내던져 버린다. 책상 위에는, 잡지와 책 같은 것들로 가득해 꽃을 놓아둘 수도 없다. 이와나미에서 나온 당시(唐詩) 선집이 너덜너덜해진 채 책상 위 어디쯤에 놓여 있다.

9시가 됐는데도 차를 마셔서 멍한 상태다. 옛날 일기를 꺼내 읽는다. 묘하게 감탄할 때도 있고 묘하게 시시할 때도 있다. 굉장한 상상 놀이를 할 때도 있는데, 여러 사람의 얼굴이나 마음을 내 맘대로 내 몸속으로 가져와 본다. 부부가 되어 보고 싶은 사람이 있는데, 소설을 쓰기 전에는 그런 시시한 상상의 놀이를 할 때가 많다. 10시쯤 되면 집 안 사람들이 서로 잘 자라는 인사를 나눈다. 다들 잠자리에 들면, 무서움을 많이 타는 나는 온 집 안을 돌아다니며 자물쇠를 확인하고, 부엌에서 야식을 준비해 이층으로 들고 올라간다. 소금에 절인 다시마나 가쓰오부시가 있으면 정말 기분이 좋다. 요즘은 날이 차서 밤이라도 새면 추워서 견딜 수가 없다. '무엇이 그리워 쓰는 시인가'라고 했는데, 그날그날 벌어 먹고사는 삶이지만, 글을 쓰는 게 괴로우면서도 즐겁기 때문에 역시나 책상 앞에 앉게 된다. 허리를 기대는 의자여서 추워지면 나는 어느새 의자 위에 다리를 올리고 앉아 글을 쓰고 있다. 글을 쓸 때 가장 싫은 건 쓰고 싶은 마음은 넘치는데도 사전을 찾다가 글자 하나 때문에 내내 멈춰 있을 때인데, 그때가 가장 한심하다. 내 사전은 학생자습사전이라는 것이다. 시코쿠의 다카마쓰를 걸어가다가 75전을 주고 산 건데, 이제는 너덜너덜해져 버렸다. 사전을 몇 번이나 샀지만 결국 이게 가장 쓰기 편해서 단어가 부족해도 이걸 쓰고 있다. 생각해 보니 정말로 시골 여학생 같은 생활을 하고 있는데, 그래도 내 생활을 어떻게든 써 보라고 하니, 별다른 것도 없는 나의 요즘 생활이 왠지 이상하다는 느낌이 들기 시작했다.

비.

오늘도 비. 앉아서 《그녀의 수첩》을 드디어 다 썼다. 원고지 스물일곱 매, 〈신초〉로 보낸다. 과자 10전어치를 사와서 혼자서 먹었다. 작은 순무와 표주박을 절인다. 이삼일 지나면 맛이 들겠지. 엄마에게서 온 편지, 머리가 아프다. — 12일

비.

녹초가 됐다. 쓸데없이 밤새워 독서. — 재산 37전, 덧없구나. 밤에 보라색 꽃범꼬리꽃을 10전에 산다. 탱알꽃을 5전에 산다. 비에 젖은 채 개와 걷는다. 기분 좋은 산책이다. 건널목의 비. 밤의 비. 파랗게 반짝이며 젖은 채 달려가는 교외 전차, 더없이 유쾌하다. — 13일

이것은 3년 전 가을의 일기인데, 왠지 연애라도 하고 있는 어린애 같은 일기다. 지금은 놀라움이라고는 아무것도 없는 생활로, 이제 이런 일기는 도저히 쓸 수가 없다.

옛날에는 가족들이 다 뿔뿔이 흩어져 있어 외로워서 그랬는지 감정이 끓어오르는 듯했지만, 지금은 다들 내 집에 모여 살고 있는 게 가끔은 힘들다는 생각이 들 때가

있다.

낮에는 손님이 많이 오기 때문에 작업은 대체로 한밤중에 하는데, 한밤의 작업이 내게는 조금 힘들어졌다. 이튿날에 귀신같은 몰골이 되기에 차마 두 번을 볼 수가 없다. 잠자리에 드는 시각이 4시쯤인데 7시에는 잠이 깬다. 집 근처에 쓰지야마 병원이라는 곳이 있다. 오래전부터 알고 지내는 곳인데 나는 요즘 여기서 수면제를 받고 있다. 피곤하면 그 약을 먹고 낮이라도 침대에 눕는다. 침대라고 해도 기숙사에 있는 것 같은 작은 침대여서 잠자리가 편하지는 않은데, 잠이 일찍 깨는 것도 침대 탓인지 모르겠다. 아침 6시나 7시에는 아무리 추워도 일어나 신문을 대충 읽어 보는 것이 즐거움이다. 문예란을 읽고 가정란을 읽고, 그리고 정치면은 사진만 본다. 그렇게 끝내고, 삼면기사는 무서워서 아침에는 읽지 않는다. 하루 종일 기분 나쁜 생각을 하게 되니까 대개는 오후 늦게 슬쩍 들여다보는 정도이다.

밤샘 작업은 제대로 된 글이 나오지 않는데도, 여전히 밤이 되면 "아아" 하고 녹초가 되어 버린다. 내 손님뿐만 아니라 식구들의 손님도 찾아온다. 반찬 준비에 속옷 빨래, 이건 아무래도 편한 삶은 아니다. 나이 든 하녀를 둘까도 가끔 생각하는데, 지금 하녀는 열세 살 때 여기 와서 함께 산 지 3년이 된다. 조금 아쉬울 때가 있지만 내 일에 방해가 되지 않기 때문에 그게 가장 다행이다. 그리고 무엇보다도, 하녀를 두다니, 이건 마농 레스코 중의 어느 한 구절에도 나온 말이지만, 나처럼 갑자기 부자가 된 사람은 부끄럽다는 생각이 든다. 게다가 3년이나 함께 있다.

나는 남에게는 좀처럼 화를 내지 않지만, 집에서는 자주 화를 내고 울고 싶어진다. 그 감정을 어디에도 가져갈 수가 없기 때문에 책상 앞에 앉아서 멍하니 있는 것이다. 담배는 골든배트를 네다섯 개비 피운다. 옛날에 좋아하는 사람이 있었을 때는 그 사람이 담배를 싫어해 피우지 않았지만, 지금은 그 사람과 아무 관계도 아니니까 아무렇지 않게 담배를 피우게 되었다. 될 대로 되라는 식의 기분은 아주 유쾌하다. 나는 옛날에 몇 번이나 될 대로 되라는 기분에 마구잡이로 생활한 적이 있지만, 요즘은 양지에서 따뜻한 햇볕을 쬐고 있는 것 같다.

소설 이야기를 하는 건 정말 싫다. 설명이나 비평을 전혀 할 수 없기 때문일 것이다. 보세요, 해님 같은 소설이에요, 하는 정도로 설명하면 "아, 그런가" 하고 받아들일 수밖에 도리가 없는 것이다. 가끔씩 먼지 털듯이 하나하나 집어내는 비평을 받을 때가 있다. 괴롭기도 하고 그런 것에 남보다 곱절은 더 영향을 받는 탓인지, 완전히 넋이 나가 버려 썩은 물고기처럼 이삼일 이불을 뒤집어쓰고 누워 버린다. 내 작품이 좋지 않기 때문이다. 누구보다 나 자신이 잘 알고 있기 때문에 한동안 갈 곳을 잃어버리지만, 다시 책상 앞에 앉아서 한 자 한 자 쓰기 시작한다. 나에게 종교라는 게 있다면, 그저 한 자 한 자 쓴다, 라는 것이다. 그 안에 빠져 버린 듯한 기분이 든다. 싫은 말이지만, 나는 만년 문학소녀인 것 같기도 하다.

사오일 전, 세무서 공무원이 찾아왔다. 공무원이라고 하니까 가슴이 콩닥거려 마침 점심 식사 중이었는데 밥이 목구멍으로 넘어가지 않았다. 나는 세금을 내기 시작한 지 4년이 되는데 사실 속으로는 힘들다고 생각할 때가 종종 있었다. 수입이 10엔일 때가 서너 번 있었고, 잠깐 여행이라도 떠나면 그 수입마저 끊기는데도 세금은 생각보다 너무 많았다. 이번에도 세금 인상이었는데, "연 수입이 4천 엔은 되지요?"라고 하기에, 누구 얘기인가 하고 깜짝 놀랐다. 잘나가면 2백 엔, 나쁠 때는 90엔, 평균 150엔이라면 더 부러울 것 없이 살아갈 수 있다.

"요시야 노부코 씨의 세금은 어중간한 사업가보다 많아요" 하고 세무서 직원이 말했지만, 나는 여전히 놀란 채 할 말이 없었다. 원고 한두 장을 써도 하야시 후미코, 예를 들어 가십난에 하야시 후미코라는 이름이 나와도, 그걸 모조리 뭉뚱그려 생각해서 말하니 할 말이 없다. "잡지사나 신문사에 가셔서 내가 원고료로 얼마를 받는지 물어보시죠" 하고 말할 수밖에 없다. 요시야 씨는 선배이고 분야도 다르다. "댁은 문학을 좋아하시나요?" 하고 물으니, 그 직원은 학생 시절에는 그래도 이것저것 읽었는데 지금은 법률 일을 하고 있다고 말했다. 느낌이 좋은 사람이었지만, 연 수입 4천 엔은 심하다는 생각이 들었다. 순문학을 하는 사람은 의외로 화려해 보이지만 가난하고, 신인 작가라면 월 50엔쯤 벌 거예요, 하고 말하니, 그런가요, 하며 놀랐다.

"그 순문학을 하는 분 중에는 누가 가장 수입이 높은가요?"

그런 질문도 받았는데, 이름은 화려해도 나와 비슷비슷하겠지요 하고 거들먹거리며 말할 수밖에 도리가 없다. 10년 전부터 한 번도 오르지 않은 원고료로 나는 비교적 부지런히 일하고 있다. 세금도 요시야 씨만큼 되고 싶은 마음이야 굴뚝같지만, 그건 다시 태어나지 않는 한 도저히 불가능할 것이다. "그래도 아사히 신문에 글을 쓰셨지요?"라는 말도 나왔지만, 원고료가 만 엔이라는 착각은 참으로 곤란했다. 27회분을 써도 신문 소설이고, 2백회분을 써도 신문 소설이니까 참 어렵다. 하루 종일 가슴이 벌렁벌렁해서 혼이 났다. 여학교에 다니고 있는 조카의 얼굴을 보니 화가 나서 "세금이 오른다는 거야. 무섭지 않니?" 하고 말하니, 무섭다고 동정해 주었다.

"대체 세금은 어디에다 쓰는 건지 넌 아니?" 하고 열다섯 살짜리 조카에게 물으니, "다이묘 여행* 같은 거 있잖아. 그런 데 쓰이지 않을까?" 하고 대답했다. 그런가 하고 생각했다.

나는 풀꽃을 아주 좋아한다. 꽃이라면 뭐든지 좋다. 겨울철에는 가지치기를 잘해서 3주나 꽃을 피우게 할 때가 있다. 꽃은 시들고 나서도 정취가 있는 법이어서 화가인 소미야 이치넨 씨는 말린 꽃을 자주 그리기도 하는데, 말린 꽃의 아름다움에는 어렴풋하니 객지의 쓸쓸함이 느껴진다. 여자가 나이 들면서 이렇게 정취가 있으면 좋겠다고 생각한다. 나는 이제 서른두 살이 되었지만, 동년배의 남자 친구들은 생기가 있고 아직도 청년 같다. 다케다 린타로 씨, 호리 다쓰오 씨, 나가이 다쓰오 씨, 하나같이 꽃창포다. 하지만 여자의 청춘은 왠지 너무 짧다.

지금, 좁은 내 책상 위에는 작은 컵이 놓여 있다. 마가렛

* 에도 시대 때 지방의 영주인 다이묘의 호화로운 여행.

과 유채꽃과 도깨비부채꽃과 카네이션이 한 송이씩 꽂혀 있는데, 등불의 빛이 그것들에 닿아 있는 풍경 앞에서 나는, 꽃이란 정말로 아름답구나 하고 넋을 잃는다. 다음번에 다시 태어난다면 꽃이 되고 싶다. 꽃이라면 삼백초 꽃이라도 좋다.

꽃 말고는 한 달에 두세 번 기차를 타는 걸 좋아한다. 여행을 좋아해서 어쩔 수가 없다. 장거리 여행도 아무렇지 않고, 걷는 것이 너무 즐겁다. 지난 한 달은 시가 고원에 스키를 타러 갔다. 마루야마 오두막집에 묵었는데, 여자는 나 혼자뿐으로 설산 꼭대기에서 소녀처럼 느긋하게 지냈다. 스키는 서툴지만 무지막지한 눈을 치고 나갈 때의 기분을 좋아한다. 자연과 나 사이의 거리가 사라진다. 주니사와 스키 연습장에서 나만큼 용감하게 잘 넘어지는 사람은 없다는 말을 들었다. 온천에 들어가 온몸에 시퍼렇게 멍이 든 걸 보니 그제야 굴러 넘어지는 스키 솜씨가 부끄러웠다.

2월은 이즈의 고나에 갔다. 단나 터널은 처음이어서 아타미를 빠져나올 때부터 좋아서 어쩔 줄을 몰랐다. 8분쯤 걸린다는데, 꽤 긴 터널 같은 느낌이 들었다.

아타미의 바다색은 나폴리 같은 색을 띠고 있다. 따뜻해서 멍하니 보고 있으니, 해변이 마티스의 그림 같은 물

가였다. 고나에서는 하쿠세키칸이라는 곳에서 묵었다. 그곳에서는 게이샤가 한 시간에 1엔이었는데, 쓸쓸해서 데루하라는 게이샤에게 세 시간 정도 함께 있어달라고 했다.

3월은 조슈에 가보고 싶다. 여행을 하고 있으면 태어난 게 행복하다는 기분이 들 정도이다. 가족들은 도시락을 먹고 싶어서 그런 거라고 말한다. 나는 기차를 타면 도시락을 자주 사 먹는다. 나무 향이 나서 밥도 반찬도 맛있다. 기차를 타면 평소의 지루한 일들이 한꺼번에 날아가 도쿄로 돌아올 때쯤에는 시골 여자가 처음으로 도쿄로 올라올 때 느끼는 기분을 만끽한다.

한 시가 되었다
다들 곤히 잠들었겠지
오만 리 앞에 눈사태 같은 코 고는 소리가 들린다
두 시가 되어도 세 시가 되어도
내 책상 위는 여전히 새하얗다

네 시가 되니
숯바구니에 숯이 사라진다
나는 덧문을 열고 헛간으로 숯을 가지러 간다

추워서 얼어붙을 것 같지만
글을 쓰는 일보다
숯을 집어오는 일이 훨씬 즐겁다
누군가 키우는 꾀꼬리가 어디선가 울기 시작한다

이것은 내가 쓴 산문인데 새벽녘에 이런 기분을 맛볼 때가 종종 있다. 숯바구니를 들고 집 뒤쪽으로 가면 추위에 온몸이 부들부들 떨린다. 하지만 목장갑을 끼고 덜그럭덜그럭 숯 가마니를 뒤적이며 숯을 하나하나 집어 올릴 때는 즐거운 본업으로 돌아간 것처럼 편안한 기분이다.

새벽녘이 되면 아무리 추워도 꾀꼬리가 가장 먼저 울어준다. 어느 집에서 키우는지 모르겠지만, 지붕 위가 연기가 끼듯이 날이 밝자마자 꾀꼬리가 울고, 우유 장수의 수레 소리가 맑게 들려온다. 우유는 두 병 받고 있다. 어머니와 내가 꿀꺽꿀꺽 마신다. 우유 배달부, 신문 배달부, 우편 배달부, 추울 때는 그 사람들이 가엾다. 새벽녘의 풍경은 좋지만, 밤이라도 샐 때면 나는 마치 가죽을 뒤집어쓰고 있는 것처럼 기분이 개운치 않다.

아침 식사는 대개 우유다. 제대로 밥을 먹는 건 9시쯤. 밥은 하녀가 짓고 미소시루는 내가 끓인다. 행복하다. 일이 바빠져 부엌에 이삼일 나가지 못하면 다들 김빠진 얼굴들을 하고 있다. 나는 요리를 잘한다. 내 입으로 칭찬하니 뭣하지만, 요리하는 게 재미있다.

낮에는 작업을 할 수 없어 곤란하다. 낮에 일을 할 수 있으면 정말 좋겠지만. 낮에는 다들 일어나 있기 때문에 아무것도 안 하고 놀게 된다. 바빠서 큰일인데도 친구가 오면 같이 논다. 친구가 찾아오는 게 무엇보다 기쁘다. 하루에 이런저런 사람이 열 명 정도는 찾아온다. 피곤하면 내 멋대로 드러누워 잠을 잔다.

집에 찾아오는 사람은 남자들이 많다. 매우 자극이 된다.

술은 마시지 않는다. 충치가 생겼고 위가 약해 과음하면 이튿날 하루 종일 엉망이 되어 버린다. 그래도 일이 척척 잘되면 아무리 무리라고 해도 "예, 예" 즐거워하며 술도 맛있게 받아 마신다. 작업이 끝난 후의 술은 내가 생각해도 맛있다. 질질 끌며 오래 마시는 술은 싫어한다. 음식은 뭐든지 먹지만 참치 회는 못 먹는다. 좋아하는 음식은 해삼창젓에 뜨끈뜨끈한 밥인데, 해삼창젓은 비싸서 자주는 못 먹는다. 돈이 생기면 코피가 터지도록 먹어 보고 싶다. 절인 숭어알도 좋아하는데 이것도 비싸다. 성게알은 그다지 좋아하지 않는다. 자반 생선을 좋아해 자반 생선을 보면 소설을 쓰고 싶어진다. 왠지 분위기가 있어 좋다.

파리에는 잘 말린 자반 생선이 없었다.

연극도 활동사진도 어릴 때부터 싫어했다. 어머니와 하녀 둘이서만 집 근처 활동사진을 열심히 보러 간다.

그림 그리기는 내 두 번째 일로, 굳은 붓을 석유 안에 넣어 씻고 있을 때는 까탈스러운 표정을 지은 적이 없다. 고바야시 히데오, 나가이 다쓰오 씨에게 그림을 주겠다고 약속했는데, 그 그림에 대해 생각하는 게 말할 수 없을 만큼 기분 좋다. 나는 정물화는 그렇게 잘 그리지 못한다. 초보자치고는 멋스럽다고 하는데, 정말 재미있다. 그림을 그리고 있으면 아름다운 색을 쓰고 있는 화가가 부러워진다.

마티스, 모딜리아니를 좋아해 가끔 화집을 꺼내서 본다. 얼마 전에는 요로즈테 고로 씨의 그림을 두 장 샀다. 요로즈테 씨 같은 그림을 그리고 싶다고, 그 그림을 볼 때마다 자극을 받곤 하지만, 나는 게으름뱅이라 어쩔 수 없다. 내가 가야 할 길, 내가 써야 할 글, 전부 다 알고 있지만, 비바람이라도 세차게 불어치지 않으면 나 같은 게으름뱅이는 좀처럼 일어날 생각을 하지 않는다. 올해는 아무것도 쓰고 싶지 않다. 나는 지금 세계지도를 펼쳐 인도에 갈 계획을 세우고 있다. 가을쯤에는 유럽에 갔을 때처럼 홀가분하게 배를 타고 떠나고 싶다. 몇 번을 가도 첫 여행

같은 기분으로 나는 꽤 여러 곳을 다녔다. 돈은 많이 모아 놓았겠지, 하고 묻는 사람도 있지만, 모아 둔 건 여관 청구서 정도로, 완전히 그날그날 벌어 먹고사는 생활이다. 말하자면 산양의 젖을 짜면 다른 사람이 그 밑에서 체를 받치고 있는 그런 덧없는 생활인데, 혹시라도 몸이라도 나빠지면 이것저것 생각하겠지만, 그럭저럭 쌀밥과 해님이 나를 따라오겠지 하고 생각한다. 달이 차서 어두워지고 기러기 높이 나는 밤*, 아무리 비참한 날이 오더라도 처음부터 맨몸뚱이 하나였으니 어찌어찌 방법이야 있겠지.

요즈음 책상 앞에 앉으면, 싸움에 참패한 듯한 쓸쓸한 기분이 들지만, 그저 내가 제 발로 들어가 덤벙대며 좋은 곳을 찾아다녔을 뿐이다. 내 유일한 목적은 아직 멀리 있지만, 이렇게 살림을 꾸리고 있으니 오늘은 해야지, 오늘은 해야지, 하고 멍하니 살면서 빨래며 부엌일이며 집안일에 안주하며 흐뭇해하고 있다.

나는 '맑은 물처럼 특별한 맛이 없는' 작품을 염원하지만, 손짓만 요란하고 거짓이나 꾸밈이 두드러지니 괴로워서 견딜 수가 없다. 나라는 사람의 힘이 부족한지도 모르겠다. 버릇이 바뀌지 않는 것은 공부가 부족해서 그렇겠

* 당나라 시인 노륜의 오언절구의 첫 구.

지만, 나는 앞에서도 말했듯이, 이렇게 따뜻하게 햇볕을 쬐고 있는 것 같은 문화생활은 힘이 든다. 남자 작가들과 맞서서 나아가겠다는 생각은 조금도 없지만, 적어도 어깨를 나란히 겨루고 싶다고 생각한다. 무로 씨의 요즘 작업이 씩씩한 것에 놀란다. 다케다 씨도 꽤 물이 올랐다. 대단하다고 생각한다. 다들 역사를 가진 사람들이지만, 용케 지치지 않는 것, 그리고 그 괴로움을 생각한다. 나는 고작 칠팔 년의 역사밖에 없다. 그것도 스스로 춤을 추는 일이고, 씁쓸한 것뿐이다.

맑은 물처럼 특별한 맛이 없는 글을 쓰는 것은 이제부터라고 스스로 반성하고 있다.

나는 깊이 교류하는 친구가 없다. 나는 남을 방문한 적이 거의 없다. 동네에서 누구누구를 만날 뿐, 남의 집을 찾아가는 경우는 드물다. 나에게 다가오는 사람은 결국 나 자신일 것이다.

산책도 점점 귀찮아졌다. 시간이 나면 침대에 누워 멍하니 있다. 한 달에 대여섯 번, 간다의 헌책방, 혼고의 헌책방을 돌아다니며 걷는다. 아주 즐거운 산책 중 하나다. 생각보다 공부를 게을리하고 있어 지금은 책값이 그렇게 많이 들지 않는다. 10엔 정도 있으면 견딜 수 있다. 옛날에는 꽤 배고픈 생활이었기에 조금만 편해지면 감당도 못할 만큼 낭비하며 뭐든지 사고 싶어 했는데, 아마도 벼락부자 기질을 갖추고 있는 것일 테다. 명랑한 벼락부자인 주제에 이상하게 고독하고, 고독 속의 나 자신만큼은 변하지 않아서, 친구가 없어도 그렇게 괴롭지는 않다. 여자이니까 여자 친구를 생각하겠지만, 내가 부족한 건지 아니면 상대방이 나를 싫어하는 건지, 마음이 끌리는 사람도 없다. 남자 친구는 마음에는 좋은 약, 입에는 쓴 독약이어서 꽤 자극을 받는다.

시를 쓰는 것, 그림을 그리는 것, 둘 다 좋아해서 내 작품 속에 시나 그림 같은 것을 넣어 내 글의 맛을 더하는데, 작가에게는 다양한 파도가 있어도 좋다고 생각한다. 올해는 조금 쉬면서, 멀리 갈 수 있다면 혼자서 뚜벅뚜벅 정처 없이 걷다 오고 싶은 생각이 든다.

(1936년)

하야시 후미코(林芙美子) 1903~1951

소설가. 사생아로 태어나 어머니와 함께 행상을 하며 힘든 어린 시절을 보냈다. 여학교를 졸업하고 도쿄로 올라와 여러 직업을 전전하며 지냈다. 화가 데즈카 로쿠빈과의 결혼으로 안정된 생활을 시작하면서 작가로 활동하게 되었는데, 그때 발표한 《방랑기》가 큰 화제를 불러일으키며 베스트셀러가 되었다. 대표작으로 《뜬구름》, 《만국》, 《청빈의 서》 등이 있다.
여행을 좋아해 중국, 유럽을 여행하고 남긴 기행문이 유명하다.

3장

붓을 드는 것이 울적하구나

서리 내린 밤

아쿠타가와 류노스케

서리 내린 밤의 기억 하나.

여느 때처럼 책상 앞에 앉아 있으니 어느새 12시를 치는 소리가 난다. 12시에는 반드시 잠자리에 들기로 하고 있다. 오늘밤도 일단 책을 덮고 내일 앉자마자 바로 일을 시작할 수 있도록 책상 위를 정리한다. 정리라고 해도 대단한 건 아니다. 원고지와 필요한 책을 한곳에 쌓아 두는 것뿐이다. 마지막으로 화롯불을 처리한다. 쇠주전자 안의 물을 토기 병에 붓고, 그 안에 숯불을 하나씩 넣는다. 숯불은 삽시간에 검게 변한다. 숯이 내는 소리도 거세진다. 수증기도 모락모락 피어오른다. 왠지 즐거운 기분이 든다. 또 왠지 덧없다는 기분도 든다. 이부자리는 옆방에 깔려 있다. 옆방도 서재도 이층에 있다. 자기 전에는 꼭 아래층에 내려가 느긋하게 혼자 소변을 본다. 오늘밤도 살그머니 이층에서 내려간다. 가족들의 잠을 깨우지 않도록 가능한 한 조심조심 이층에서 내려간다. 객실 옆방에 전등이 켜져 있다. 아직 누가 깨어 있나, 하고 생각한다. 누가 깨어 있지? 하고도 생각한다. 그 방을 지나가면서 보니, 예순여덟 살이 되는 큰이모가 혼자서 묵은 솜을 틀고 있다. 희미한 빛이 나는 명주 솜이다.

"이모님" 하고 말한다. "아직 안 주무셨어요?"

"아, 이제 이것만 끝낼까 해서. 너도 이제 자려고?"

변소 등이 아무리 해도 켜지지 않는다. 하는 수 없이 어두운 채로 소변을 본다. 변소 창밖에는 대나무가 자라 있다. 바람이 부는 밤이면 잎사귀 스치는 소리가 난다. 오늘밤은 아무 소리도 나지 않는다. 그저 추운 밤에 갇혀 있다.

얇아진 솜은
틀기가 힘이 드네
서리 내린 밤

(1924년)

가을밤

아쿠타가와 류노스케

화로에 숯을 더 넣으려는데, 이제 숯이 두 개밖에 없었다. 숯바구니 바닥에는 숯가루 속에 나뭇잎 같은 것이 말라비틀어져 있다. 어느 산에서 온 나뭇잎이지? — 오늘 석간신문을 보니, 기소의 온타케산에 내린 첫눈도 예년보다 훨씬 빨랐다고 한다.

“여보, 이제 그만 자요.”

붉은색을 칠한 오래된 책상 위에는 무로 사이세의 시집 한 권이, 가제본된 페이지를 펼치고 있다. “붓을 드는 것이 울적하구나.” — 이것은 비단 이 시인만의 탄식은 아니다. 오늘 밤도 홀로 차를 마시고 있으니, 마음속 깊이 스며드는 건 역시 무로와 똑같은 쓸쓸함이다.

"테이야, 이제 대문 좀 잠그고 와."

이 중국산 청자 찻잔은 15년 전에 산 것이다. "붓을 드는 것이 울적하구나." — 내가 그런 탄식을 알게 된 것이 그로부터 몇 년이 지난 뒤였을까. 찻잔은 오래전부터 금이 가 있다. 차도 완전히 식어 버렸다.

"마님, 유탄포* 넣어 드릴까요?"

그때 어느샌가 화로 안에서 희미한 연기가 피어오르고 있다. 뭔가 싶어 부젓가락으로 헤집어 보니, 조금 전의 나뭇잎이 연기를 피우고 있었다. 어느 산에서 온 나뭇잎이지? — 이 냄새만 맡고 있어도 벽을 가로막은 책장 너머로 별밤과 달밤의 산들이 보이는 것 같다.

"거기 불은 아직 있어요? 나 먼저 잘게요."

(1922년)

* 뜨거운 물을 넣어서 그 열기로 몸을 따뜻하게 하는 난방 기구.

머위

아쿠타가와 류노스케

비탈이 진 길 위의 흙이 숫돌 가루처럼 말라 있다. 쓸쓸한 산골 마을이어서 길에는 돌멩이도 적다. 양옆에는 낡은 널조각으로 지붕을 이은 집들이 고즈넉이 햇빛을 받고 있다. 중학생인 우리 두 사람은 그 길을 서둘러 올라갔다. 그때 갓난아기를 업은 소녀 하나가 짙은 그림자를 발밑에 드리우며 조용히 비탈길을 내려오고 있었다. 소녀는 소매를 걷어 올린 손으로 기다란 머위 줄기를 들어 올려 햇살을 가리고 있다. 왜 그러는 걸까 생각했는데, 한여름의 햇살이 쌔근쌔근 잠든 갓난아기의 얼굴에 비치지 않게 하려는 것이었다. 우리 둘은 소녀를 스쳐 지나갈 때 서로 미소를 살짝 주고받았다. 하지만 소녀는 그것도 모르는 듯이, 조용히 그대로 지나갔다. 흐릿하게 빰이 햇볕에 그을린, 서글서글한 얼굴의 소녀이다.

그 얼굴이 지금도 툭하면 기억 속에 또렷이 떠오를 때가 있다. 사토미 군이 말하는 첫눈에 반한다는 것이란 어쩌면 이런 마음인지도 모르겠다.

(1921년)

추억

아쿠타가와 류노스케

먼지

내 기억의 시작은 네 살 때다. 그렇다고 해서 특별한 기억은 아니다. 그저 히로 씨라고 하는 목수 하나가 사다리 같은 것에 올라탄 채 망치로 천장을 두드리고 있고, 천장에서는 먼지가 풀풀 떨어지는 광경이 기억이 난다.

그것은 먼 옛날 에도 시대부터 할아버지와 아버지가 살던 옛집을 허물어뜨릴 때의 일이다. 나는 네 살 가을부터 새 집에서 살게 되었다. 그러니까 옛집을 허물었던 것은 늦어도 그해 봄이었을 것이다.

위패

우리 집 불단에는 조부모와 숙부의 위패 앞에 커다란 위패가 또 하나 있었다. 덴보* 몇 년인가에 세상을 떠난 증조부모의 위패였다. 나는 철이 들었을 무렵부터 금박을 입힌 거무스름한 그 위패에 공포심 비슷한 것을 느꼈다.

내가 들은 바에 따르면, 증조부는 오쿠보즈**였다고 하는데, 딸 둘을 다 기녀로 팔았던 사람이었다. 그뿐 아니라 증조모는 증조부가 밖에서 밤을 보내고 오는 일이 계속되자, 집에 땔감이 떨어졌을 때는 도끼로 툇마루를 때려 부숴서 그것을 땔나무로 삼았던 사람이었다.

꿈속 여행

나는 그 무렵에도 지금처럼 몸이 약한 아이였다. 특히 변비가 생기면 꼭 경련을 일으키는 아이였다. 내 기억에 남아 있는 마지막 경련은 아홉 살 때이다. 열까지 나서 마

* 1830~1844년까지의 일본 연호.
** 에도 시대 쇼군의 성내에서 다실을 관리하던 승려.

루 위에 누운 채, 큰이모가 머리를 묶고 있는 것을 바라보고 있었다. 그러다 그만 경련을 일으킨 것 같은데, 내가 쓸쓸한 바닷가를 걷고 있고, 그 바닷가에는 인간이라기보다 요괴처럼 보이는 어떤 여자가 속옷 차림으로 바다에 몸을 던지려고 합장을 하고 있었다. 아마 그것은《묘한 수레》라는 소설책 속의 삽화인 것 같다. 그 꿈속의 풍경만큼은 지금도 또렷이 기억이 난다. 정신을 차렸을 때의 일은 기억나지 않는다.

우편함

우리 집 문 옆에는 우편함이 하나 붙어 있었다. 어머니와 큰이모는 해 질 녘이 되면 번갈아 가며 문 옆으로 가서 그 작은 우편함의 구멍으로 길 가는 사람들을 바라보고는 했다. 봉건시대를 살던 여자의 마음은 1899년, 1900년 무렵에도 아직 희미하게 남아 있었을 것이다. 또한 나는 그럴 때 "아, 하늘이 벌써 참새귀리 색*이 됐네" 하고 어머니가 말한 것을 기억하고 있다. '참새귀리 색깔'이라

* 에도 시대에 유행하던 말로 참새귀리라는 풀의 적갈색을 땅거미가 질 무렵의 하늘색에 비유해서 하던 말이다.

는 말은 그 무렵의 나도 좋아하는 말이었다.

유치원

나는 유치원에 다니기 시작했다. 유치원은 유명한 에코인* 옆에 있는 에히가시 소학교의 부속 유치원이다. 그 유치원의 뜰 한구석에는 커다란 은행나무가 한 그루 있었다. 나는 늘 그 낙엽을 주워 책 속에 끼워 놓았던 기억이 난다. 그리고 얼굴이 동그란 여자아이를 좋아했던 것도 기억난다. 다만 너무나 이상한 것은 지금 생각해도 왜 그 여자아이를 좋아하게 되었는지 나 자신도 확실히 모르겠다는 것이다. 하지만 그 아이의 얼굴이나 이름은 지금도 기억 속에 남아 있다.

그러다 작년 가을, 유치원 시절의 친구를 만나서 그때의 일을 이야기하던 끝에, "그 아이도 기억하고 있을까" 하고 말했다.

"그야 기억 못 하겠지."

나는 그 말을 들었을 때, 희미하게 쓸쓸한 마음이 들었

* 도쿄에 있는 정토종 절.

다. 그 아이는 소녀에게는 어울리지 않는, 싸리나 억새풀에 이슬방울을 흩뿌린 것 같은, 소매가 긴 기모노를 입고 있었다.

수영

내가 수영을 배운 것은 일본수영협회에서였다. 작가 중에 수영협회에 다닌 것은 나뿐만은 아니다. 나가이 가후 씨나 다니자키 준이치로 씨도 역시 그곳에 다녔을 것이다. 그때는 수영협회가 갈대가 무성한 나카즈에서 야스다 저택 앞으로 옮긴 후였다. 나는 그곳에 두세 명의 같은 반 친구들과 함께 다녔다. 시미즈 마사히코도 그중의 하나였다.

"난 아무도 모를 거라고 생각해서 물속에 똥을 눴는데, 바로 떠오르길래 깜짝 놀랐어. 똥은 물보다 가벼운 가 봐."

그런 말을 하던 시미즈도 해군 장교가 되고 나서, 재작년(1924년) 봄에 고인이 되었다. 나는 그가 죽기 이삼 주쯤 전에 요양지였던 미시마에서 보내 온 편지를 기억한다.

"이건 내가 자네에게 보내는 마지막 편지가 될 것 같네.

난 후두결핵에 장결핵까지 발병했어. 아내는 나와 같은 병에 걸려 나보다 먼저 세상을 떠났네. 올해 다섯 살 되는 딸아이 하나가 남아 있어. …… 우선은 생전의 인사를 보내네."

나는 펜을 들어 답장을 쓰면서 쌀쌀한 봄의 미시마 바다를 떠올리고 뭔가 하이쿠를 지어 보냈다. 지금은 그 하이쿠가 뭔지 기억나지 않는다. 하지만 "후두결핵이라고 해도 절망하는 건 당치 않네" 하고 위로의 말을 썼던 것만큼은 지금도 또렷이 기억하고 있다.

답안

아마도 소학교 이삼 학년 무렵으로, 선생님이 우리 책상 위에 가장자리가 파란 갱지를 나누어 주면서 '귀엽다고 생각하는 것'과 '아름답다고 생각하는 것'을 쓰라고 말했다. 나는 코끼리를 '귀엽다고 생각하는 것'이라고 쓰고, 구름을 '아름답다고 생각하는 것'이라고 썼다. 그것은 나에게는 진실이었다. 하지만 내 답안이 하필이면 선생님 마음에 들지 않은 것이다.

"구름 따위가 어디가 아름다워? 코끼리는 그냥 덩치만

큰 거 아냐?"

선생님은 이렇게 나무라고는 내 답안에 × 표를 써넣었다.

니시카와 에지로

니시카와는 별명이 라이언이었다. 그건 얼굴이 어딘지 모르게 사자를 닮았기 때문이다. 나는 니시카와와 같은 반이어서 많은 배움을 얻었다. 중학교 4학년인가 5학년 때에 영어로 번역된 《사냥꾼의 일기》나 《사포》 같은 것을 읽은 것은 니시카와가 없었다면 할 수 없었을 것이다. 하지만 나는 니시카와에게 아무것도 보답하지 못했다. 만약 뭔가 보답한 것이 있었다면, 그건 그저 다리를 걸고 넘어뜨려 니시카와를 울렸던 일뿐일 것이다.

나는 니시카와와 함께 여름방학 때면 여행을 떠났다. 니시카와는 나보다 유복했던 것 같다. 하지만 긴 여행을 할 때도 여행비는 20엔을 넘은 적이 없었다. 나는 니시카와와 함께 나카자토 가이잔의 소설에 나오는 다이보사쓰 고개 가까이에 있는 다바야마라고 하는 가난한 마을에 묵었을 때, 일등실에 35전의 숙박비를 지불한 것을 기억한다. 그러나 그 여관은 청결하고 식사 때도 계란말이 같은 것을 내주었다.

아마도 아직 잔설이 꽤 남아 있는 아카기산에 올랐을 때였을 것이다. 니시카와는 살짝 구부정한 자세로 걷다가 갑자기 나에게 이런 말을 했다.

"넌 부모님이 돌아가시면 슬플 거라고 생각해?"

나는 잠깐 생각하고 나서 "슬플 거 같아" 하고 답했다.

"난 슬플 거라고 생각하지는 않아. 넌 창작을 할 생각일 테니까 이런 인간도 있다는 걸 알아 두는 편이 좋을지도 몰라."

하지만 나는 그때는 아직 작가가 되려는 생각은 갖고 있지 않았다. 그가 어째서 그런 말을 했는지 나는 지금도 알 수가 없다.

공부

나는 중학교 때도 복습 같은 건 한 적이 없다. 하지만 시험공부는 종종 했다. 시험 당일에는 학생들 모두가 운동장에서도 책을 읽고는 했다. 나는 그걸 볼 때마다 '나도 좀 더 공부해야 하는데' 하고 후회 섞인 불안감을 느꼈다.

하지만 시험장을 나오자마자 그런 생각은 깡그리 잊어버렸다.

허영심

겨울이 가까워져 오던 어느 날 해 질 무렵, 나는 모토마치 거리를 걷다가 갑자기 거리의 사람들이 나를 완전히 무시하고 있다는 느낌이 들었다. 또한 동시에 묘하게 쓸쓸한 느낌이 들었다. 하지만 딱히 '앞으로 두고 보자' 하는 용기가 생기지는 않았다. 연한 감색으로 말갛게 물든 하늘에는 별도 몇 개 반짝이고 있었다. 나는 그 별들을 올려다보면서 되도록 한껏 으스대며 걸어갔다.

별명

도쿄의 모든 중학생들이 선생에게 붙이는 별명만큼 혹독하게 진실에 가까운 건 없다. 나는 지금은 그런 별명들을 잊어버렸다. 하지만 지금부터 사오 년 전, 내 사촌의 아이 하나가 우리 집에 놀러 왔을 때, 어느 중학교 선생을 말하면서 "마뽄이 왜 그랬어?" 하며 이야기하고 있었다. 나는 당연히 '마뽄'이 무슨 뜻이냐고 물었다.

"뜻이고 뭐고 아무것도 없어요. 그냥 그 선생 얼굴을 보면, 마뽄이라는 느낌이 드는 것뿐이에요."

나는 그 후 얼마쯤 지나 그 중학생과 전차를 탔다가 우연히 그 선생의 외모를 보게 되었다. 그런데 그것은 ― 나 역시 문장으로는 도저히 진실을 전할 수 없다. 다시 말해 그것은 ― 그 별명대로 그야말로 '마뽄' 같은 느낌이었다.

(1926년)

얼음가게의 깃발

이시카와 다쿠보쿠

친한 사람의 얼굴이, 이따금, 가만히 보고 있으면 순식간에 전혀 다른 얼굴 — 얼굴을 이루고 있는 선과 선이 뿔뿔이 흩어진 것 같은, 그저 균형이 깨진 추한 형태로 보일 때가 있다. 그것과 마찬가지로 내 주변의 모든 관계 역시 가끔은 아무런 맥락도 없이 그저 얄팍하고 번거롭게 보인다. — 이런 불쾌한 느낌에 사로잡힐 때마다 나는 아무 이유도 없는, 어디에도 가져갈 데가 없는 울분이 느껴진다.

웃통을 벗어 던진 채 드러누워 있으면, 활짝 열어젖힌 이층 창으로 건너편 얼음가게의 깃발과, 바싹 마른 기와지붕과, 새하얀 솜을 겹쳐 놓은 것 같은 여름 구름이 보였다. 깃발은 바람 한 점 없는 뜨거운 하늘 아래 죽은 듯이 고개를 숙인 채 주름 하나 잡지 않는다. 붉은 테두리만이 손에 닿으면 타 버릴 듯이 불타고 있다.

나 역시, 손도 발도 내팽개친 채 움직이지 않았다. 마치 그 얼음가게의 깃발이 왠지, 하자, 하자, 하고 초조해하면서도 아무것도 하지 않는 지금 내 마음의 모습 같다는 생각이 들었다. 그리고 옆방에서 파닥파닥 부채를 부치는 가족들의 기척은 나의 울분을 끊임없이 부채질하고 있었다. 가슴 위로 배어 나온 땀은 갈비뼈 사이를 타고 등 뒤로 또르르 떨어져 흘렀다.

그때 불현듯 상냥한 벌레 소리가 귀에 들어왔다. 잿날에 쓰는 바구니 안에 들어 있는 얼음가게의 벌레가 우는 소리였다. — 나는 옛날에 내가 지은 시를 뜻밖에도 어느 여행지에서 듣고 있는 듯한 기분이 들었다. 그리고 솔직히, 기뻤다. 어릴 적 친구의 낭만적인 — 상냥한 벌레 소리는 계속해서 들려왔다. ——

하지만 그것도 잠시. 여름도 벌써 반이 지났다고 생각하니, 땀에 젖은 살갗의 불쾌함. 도대체 나는 뭘 하고 있는 걸까, 생각하면서, 나는 또다시 죽은 듯한 얼음가게의 깃발을 바라보았다.

(1909년)

이시카와 다쿠보쿠(石川啄木) 1886~1912

시인. 이와테 현에서 승려의 아들로 태어났다. 짧은 생이었지만 근대 단카사에 큰 족적을 남긴 일본을 대표하는 시인이다.
스무 살 때 첫 시집 《동경》을 출간하여 천재 시인이라는 평가를 받으며 수많은 단카를 발표했는데, 도시 생활의 애환을 신선하게 표현한 '생활파' 시인으로 불렸다. 궁핍한 생활에 시달리다 스물일곱 살에 폐결핵으로 불우한 생애를 마쳤다. 대표 시집으로 《슬픈 장난감》, 《한 줌의 모래》 등이 있다.

병실에서

이시카와 다쿠보쿠

521

겉은 적갈색의 인조 가죽, 딸깍하고 뚜껑을 열면 홈통 모양으로 올리브색 벨벳이 안쪽에 덧대어져 있는, 담배 모양의 통 안에 들어 있는 체온계! 37이라는 숫자만 빨간색으로 되어 있고, 35도에서 42도까지의 도수가 촘촘히 쓰여 있는 하얗게 빛나는 얇은 주석판과, 빛에 비추면 희미하게 가장자리에 보이는 가느다란 진공관이 들어 있는, 길이가 네 치도 채 안 되는 작은 독일제 체온계!

나는 이 작은 체온계가 너무나 애처롭다. 아름답지도 않고 노래를 부르지도 않지만, 왠지 추울 때는 살며시 품

안에 넣어 주고 싶고, 새장 문을 열어 줘도 도망치지 않을 만큼 키워 온 카나리아처럼 애처로워 견딜 수가 없다.

일 년 내내 — 그렇다, 내 병도 벌써 꼬박 일 년이 된다! — 날마다 시간을 정해 마치 그것 하나가 일과인 것처럼, 내 살갗의 온기로 따뜻하게 품어 온 작은 체온계!

왼쪽 겨드랑이에 끼우면 싸늘하다. 그 유리의 싸늘함도 왠지 그립다. 머리맡의 시곗바늘을 쳐다보며 잠시 가만히 있는 15분의 시간은 그날그날의 변덕스러운 마음에 때로는 길게도 때로는 짧게도 느껴진다. 얼마 후 빼서 눈앞에 가져와서 보면, 바늘보다 더 가늘게 반짝이는 수은이 변함없이 똑같은 것에 나는 실망한다. "아아, 오늘도 열이 있구나!"

그리고 3분, 5분, 유리에 남아 있는 살갗의 온기가 완전히 식어 버릴 때까지, 나는 그 작은 체온계를 슬픈 눈으로 바라볼 때가 있다. 그럴 때는 그저 체온의 높낮이뿐만 아니라, 뭔가 확실하지 않은 복잡한 기분의 변화까지 그 세세하게 새겨진 도수 위에 나타나 있는 것처럼 느껴질 때도 있다. 어떨 때는 일 년을 매일매일 살갗에 갖다 대면서 유리관 안의 수은 색이 내 몸속의 피와 같은 색이라는 것이 이상하다는 생각이 들 때도 있었다.

뒤집어서 뒤쪽을 보면, 얇은 주석판에는 Uebes Minuten

이라고 갈색으로 쓰여 있고, 521이라는 번호가 찍혀 있다.

521! 이 숫자 역시 나에게는 그리운 사람의 집의 번지수처럼 어느샌가 잊을 수 없는 것이 되어 버렸다.

파괴

어느 날 아침, 반쯤 잠이 깨어 멍하니 있는데 갑자기 무시무시한 소리가 들렸다. 나는 번쩍 눈을 떴다.

그 순간, 나는 내 마음에도, 몸에도, 구석구석까지 어떤 힘이 가득 차 있는 느낌이 들었다. 그것은 이미 기나긴 병에 지친 나머지, 일어나서 장지문을 여는 것조차 귀찮은 내게는 오랫동안 잊고 있었던 느낌이었다. 그리고 적어도 그 순간, 나는 병자가 아니었다. 눈앞에 어떤 이상한 일이 벌어진다 해도 건강할 때와 똑같은 기민함과 용기를 가지고 그에 대처할 준비가 되어 있었다.

하지만 그 무시무시한 소리 — 반쯤은 깨어 있고 반쯤은 잠든 내 귀에는 폭탄이 터진 것 같은, 거대한 건물이 한꺼번에 무너진 것 같은 그 소리는 그저 개에게 쫓겨 도망쳐 온 고양이가 부엌 찬장에 뛰어오르는 바람에 접시와 밥공기가 굴러떨어진 소리였다. "뭐야, 시시하게!" 무슨 소리인지 알게 된 나는 금세 실망했다. 그리고 치켜든 고개를 다시 베개에 눕혔다.

하지만 나의 마음은 방금 경험한 몸의 긴장에 의해, 내가 아직 생존할 수 있을 만큼의 힘을 갖고 있다는 것이 더 한층 명확해진 것 같은 기쁨 때문에 나도 모르게 밝아졌다. 매일 반복되는 보람 없는 아침 대신, 어쨌든 평소와 다르게 잠이 깬 것도 그 밝음을 얼마쯤 더해 주었다. 그리고 불시에 일어난 그 일도, 막 잠이 깨어 아무 생각도 떠오르지 않은 순수한 마음에는, 집에서 일어난 하나의 재난이기 이전에 하나의 희극으로 받아들여졌다. 어차피 알아듣지도 못할 텐데 어머니와 아내가 부엌에서 고양이를 야단치는 소리가 진지하면 할수록, 합당하면 할수록, 내게는 더더욱 우스꽝스러웠다. 나는 두 번 세 번 소리 내어 웃고 싶어졌다.

그때 문득, 조금 전의 그런 소리를 또 한 번 듣고 싶다는 바람이 내 마음속에 솟구쳐 올랐다. 물건 깨는 소리의 상쾌함, 물건 깨는 마음의 후련함 같은 것이 며칠 내내 내린 비가 갠 후의 햇빛 같은 신선함으로 머릿속에 스며들었다. 그런 소리를 나는 세 개든 네 개든 바로 떠올릴 수 있었다. 그중에서도 특히, 벌써 칠팔 년도 더 전에, 아직 뚜껑도 따지 않은 맥주병을 툇마루에서 돌로 두드렸을 때의 일이 또렷이 떠올랐다. 맥주는 갑자기 가해진 강한 압력 때문에 폭발하여 '퍽'인지 '팍'인지 모를 짧고 강한 소리와 함께 뜰을 온통 하얗게 만들며 흩뿌려졌다. 그러고 나서 쉬익 하고 거품이 꺼지는 산뜻한 소리가 났다. 그때만큼의 상쾌함을 그 후로 내가 느낀 적이 있었던가?

파괴! 파괴! 그렇게 나는 이제부터 눈싸움이라도 시작하려는 소년 같은 기분이 되어 마음속으로 외쳤다.

하지만 얼마 후 나를 깨우러 온 아내와 아이에게 변변히 대답도 못 하고 드러누운 채, 입을 다물고 눈알이 아플 정도로 힘껏 눈을 치켜뜨며, 늘 그렇듯 머릿속에서 괴로운 싸움을 계속해야 했다. 파괴! 내 주변의 모든 인습과 습관의 파괴! 내가 이것을 계획한 지 벌써 몇 년이나 되었을까. 모든 걸 다 파괴하고 나 자신의 새로운 생활을 시작하자! 이런 결심을 나는 벌써 몇 번이나 되풀이하고 있는 걸까. 하지만 발버둥치면 칠수록, 허우적대면 댈수록, 내 발은 점점 더 깊이 진흙 속으로 빠져 들어갔다. 그리고 지금은 도저히 빠져나올 수 없다고 스스로도 생각할 정도로 깊숙이 그 속에 잠겨 버렸다. 그러면서도 나는 여전히 내 상쾌한 계획을 깨끗이 단념하지도 못하고 있다.

드디어 나는 다른 모든 것을 파괴하는 대신, 병들어 쇠

한 나의 몸뚱이를 단숨에 파괴하는 것까지 생각하게 되었다. 나의 괴로운 생각은 늘 여기까지 오면 끝이 난다. 그리고 나는 언제나처럼 우울한 얼굴로 애처롭게 바닥을 기기 시작했다.

(1912년)

망제(亡弟)

나카하라 주야

아아, 그만 죽어 버릴까…….

자신의 정직함이, ― 라기보다는 시를 쓰고 싶은 욕망이, ― 라기보다는 술에 취하고 싶은 심정이 강하면 강할수록, '모난 돌이 정 맞는다'는 이 세상에서는 손해만 보고, 그 손해가 이제는 쌓이고 쌓여 앞으로 더 이상 살아갈 가망도 없겠구나 생각하니, 그만 죽어 버릴까 하는 생각밖에 달리 어찌해야 할지 몰랐다.

"어차피 죽을 거면 전쟁터에나 나가서 죽을걸."

병상에서 어머니에게 이런 말을 했던, 재작년에 죽은 동생을 떠올리니 가여워서 눈물이 흘렀다. 힘든 수험 생활을 끝내고 드디어 입학이구나 했는데, 그해 가을부터 몸져눕더니 갑자기 병세가 악화되어 이제 살 가망이 거의 없다고 생각한 동생이 어머니에게 그런 말을 했을 때는 분명 내가 모르는 진실이 있었을 것이다.

동생은 어머니에게만 그런 말을 했고, 어머니는 동생이 죽고 나서야 그 이야기를 내게 들려주었다. 그 말을 들었을 때, 왜 어머니는 동생이 살아 있을 때 내게 말해 주시지 않았을까 하고 잠시 원망스럽기도 했지만, 고개를 숙이고 있는 어머니를 가만히 보고 있으니 동생이 살아 있는 동안에는 말하고 싶지 않으셨다는 걸 알았다.

대부분의 인간은 정말로 죽기 전까지는 죽는다는 것을 완전히 믿지 못하기에 살아갈 수 있는 것이겠지만, 어머니도, 나도, 할머니도, 다른 형제들도 다들 동생이 죽는다고 생각하면서도 정말로 죽기 전까지는 죽을 거라고는 생각하지 않았기 때문에, 마침내 세상을 떠났을 때는 슬픔보다도 먼저, 아니야, 아니야, 하고 가슴이 덜컥 내려앉는 느낌이 솟구쳐 올랐던 것이다.

동생은 가을에 병이 들어 도쿄의 병원에 이듬해 3월까지 있다가 고향으로 내려갔다. 그리고 그해 10월 23일에 영영 돌아오지 못하는 몸이 되었는데, 나는 8월 초에 고향에 내려가 9월 8일까지 동생 곁에 있었다. 죽는다고 해도 그렇게 빨리 죽을 거라고는 생각지도 못했고, 혹시나 나을지도 모른다고 생각했기에 나는 "소변기 좀 떼 줘" 하는 동생의 목소리가 너무 가냘플 때는 화를 내기도 했다.

의사가 오면, 나는 어머니를 부르고 동생 방에서 나갔는데, 어느 날은 내 귀밑에 생긴 작은 종기를 의사에게 봐 달라고 하고 싶은 마음에 동생이 누워 있는 방으로 들어갔다.

내가 들어가자 동생이 나를 보더니 의사의 얼굴을 보았다. 그래도 아버지가 없는 집에서는 내가 가장이고, 가끔 가다 내려오는 시골집에, 좋은 소리는 못 듣는 아들이라는 생각에 나는 어설프게, 고작 세속적인 정중함을 담아 인사했는데, 그것을 보고 동생은 기대에 못 미친다는 표정을 지었고, 나 자신도 조금 부끄러웠다.

의사는 동생에게서 두 자쯤 떨어진 곳에서 청진기를 대는 것도 아니고 딱히 하는 것도 없이 그냥 앉아 가끔 동생을 지켜보았다. 나중에 안 사실이지만, 의사는 이미 그 전부터 도저히 가망이 없다고 생각했기 때문에, 날마다 찾아와서 30분이나 한 시간쯤 그렇게 동생의 상대가 되어 주었던 것이다.

의사가 동생을 쳐다보면, 동생은 곧바로 내 얼굴을 바라보았다. 그 눈은 맑아서 렌즈 같았는데, 생물이라기보다는 오히려 기물 같았다. 툇마루 위에 매단 금붕어 어항처럼 깨지기 쉽고, 뜰 안의 초록색이 비치는 것 같았다. 이게 내 동생인가, 가끔 그런 생각이 들 정도로 그 눈은 가냘파서, 내 눈과의 사이에 묘한 거리감이 느껴졌다.

애처로운 마음이 들다가도 그 뒤에 이제 빨리 나으면 좋을 텐데 하는 생각이 든 건 내 이기적인 마음이었다.

"마음을 단단히 먹고, 일부러라도 목소리를 크게 내는 듯한 기분으로 있으면, 의외로 금방 나을 거라고 생각합니다만……."

나는 억지로 웃는 얼굴로 동생의 얼굴을 슬쩍 살피며 의사에게 말했다.

"그렇게 말해도……" 하고 동생이 의사의 얼굴을 힐끗 보며 내게 말했다. "그런 기분이 안 드니까 어쩔 수가 없어……." 그렇게 말하는 동생의 눈에는 눈물이 번져 있었다. 아, 내가 잘못 말했구나, 하는 생각이 들었다.

"아니, 아니, 흥분하면 안 되네. 흥분하면 안 돼" 하며 내게 등을 돌린 채 의사는 동생을 달랬다.

나와 동생 사이에 잠깐 긴장된 침묵이 이어지자, 의사는 나를 돌아보며 말했다.

"그래서 자네 동생한테는 늘 얘기한다네. 사람은 체념이 중요하다고 말이네. 누구나……" 하고 의사는 갑자기 불경이라도 읊는 듯이, "한 번은 죽는 걸세. 그렇게 생각하고 체념하고 마음을 느긋하게 가지면, 하루라도 더 오래 살 수 있네."

나는 가슴이 철렁하며 듣고 있었다. 그런 말을 하며 의사가 동생 쪽을 돌아보는데, 처음 하는 말은 아닌 듯한 말투였고, 동생도 아예 처음 듣는 말은 아닌 듯한 표정으로 나를 쳐다보기에, 나는 가슴이 철렁 내려앉았다. 동생의 눈은 비밀이 탄로 났을 때의 눈빛이었고, 당황해하는 나를 보며 어쩔 줄을 몰라 했다.

의사는 동생에게 오래전부터 그런 말을 했던 걸까? 하지만 이제는 의사가 그 말을 취소하게 할 수 있는 방법은 없다……. 나는 무슨 말을 해야 할지 몰랐다. 되돌릴 수 없다는 생각에 나는 그저 당황하며 어쩔 줄을 몰랐다. 그리고 의사가 그 말을 되풀이하는 걸 보면, 그는 이 병은 낫지 않는다고 꽤 오래전부터 말해 왔다는 걸 알 수 있었다.

동생은 지금까지 내게 숨겨 왔던 것이 미안했는지 글썽이는 눈으로 나를 물끄러미 바라보았다. '하지만 일부러 숨긴 건 아닐 거야' 하고 나는 짐작했다. 동생의 눈빛이 변하는 것을 보니 나의 짐작이 맞는 것 같아, 나는 곧바로 고개를 떨어뜨릴 수밖에 없었다.

동생은 자신의 죽음을 믿었던 걸까? 아니다! 누구나 근

본적으로는 자신의 죽음을 진심으로 믿지는 않는다. 일반적으로는 이런 경우, 동생은 자신의 죽음을 믿고 있었다고 할 수 있겠지만, 그것은 이를테면, 내일 찻집에서 기다리기로 약속했기 때문에 내일 그 사람이 거기 있을 거라는 것과 마찬가지로, 진실로 믿은 것이 아니라, 그저 믿었다는 것에 의해 삶이 진행되는 것일 뿐이다.

"흐음, 흐음" 하고 의사는 쉰 목소리로 말했다. "담담하게, 담담하게, 마음을 느긋하게 먹고……."

'그만해!' 하는 듯한 표정으로 나는 의사의 얼굴을 쳐다보았다. 하지만 내 얼굴은 또 금세 미안한 얼굴이 되고, 세상 사람들이 흔히 그러듯이 어물쩍 넘겨 버렸다. 그러자 동생이 힐끗 나를 보았다.

그래, 그래, 하고 요즘도 그때 일을 떠올리면, 특히 술을 퍼마신 밤 같은 때 혼자 있으면, 이런 생각을 한다. 나는 뻔뻔한 남자라고. —— 사람들이여, 그대들은 나를 뻔뻔한 남자라고 말할 권리가 있다! ……

여기서 하기엔 어울리지 않는 이야기이긴 하지만, 이런 내 심리의 경향이, 내가 객관성을 잃지 않는 이유라고 볼 수 있다면, 나는 어떤 마음가짐을 가져야 하는 걸까?

그러니까, "슬픔만 영원히"라고 알프레드 드 비니가 했던 말이 맞다고 생각할 수는 있어도, 막상 생각하는 단

계가 되면 이미 내 슬픔은 거짓으로 꾸며진 것일 뿐이다.

……

그래서 인간은 미치광이가 되지 않기 위해 개념 작용을 가지고 있는 것일까…….

"그 종기는," 하고 의사는 자리에서 일어나려고 했는지 내 쪽을 돌아보며 말했다. "그냥 놔두면 저절로 떨어지네. 수술해서 뗄 수도 있지만 흉터가 남을 테고, 그렇게 불편하지는 않지?"

내가 그걸 의사에게 물어보는 동안 동생은 내내 나를 지켜보고 있었다. 의사는 또 한 번 동생을 돌아보며 "그럼 내일 또 오겠네. 안정하고 있게나" 하고 말했다. 동생은 의사의 얼굴을 가만히 보고 있을 뿐 한마디도 하지 않았다.

나는 왠지 마음에 걸렸다. 죽음을 각오한 동생 앞에서 하찮은 종기 이야기 따위를 꺼내다니, 하는 생각도 들었다.

의사가 돌아간 뒤, 무심코 다시 귀밑에 손을 갖다 대다가, 동생이 물끄러미 바라보는 바람에 급히 손을 내리자, 순간 동생의 눈에 후회의 빛이 감돌았다. 날이 더워 선풍기가 돌고 있었는데, 의사가 갔으니 좀 꺼 달라고 동생이 말했다. 그러고는 저편으로 등을 홱 돌렸는데, 그때 보이던 뺨 언저리를 생각하면 지금도 눈물이 난다.

9월 8일 저녁이었다. 나는 그날 밤 기차로 도쿄로 떠나기로 했다. 동생이 누워 있는 모기장 옆에다 상을 차려 놓고 술을 벌컥벌컥 들이켰다. "이젠 열심히 공부해야지" 하고 모기장 안의 잘 보이지 않는 동생에게 이따금 말을 걸면서 나는 조금 무리하게 술을 마셨다.

그래도 오늘 밤 떠난다고 생각하니, 마음이 들뜨고 도쿄에 있는 하숙집이 불쑥 떠오르기도 했다. 동생에게는 분명 부러운 일일 거라 생각하니 마음이 편치 않았지만, 그런 상황에서도 생활의 변화는 즐거운 것이다.

하지만 도쿄에서 언제 팔릴지도 모르는 원고를 쓰며, 외로우면 무리하게 술을 마시는, 초라하고 불규칙한 하루하루를 생각하니, 이내 힘이 빠졌다.

부러워할 것 없어. 지난 8년간의 내 도쿄 생활은 이러이러했다고 말해 줄까도 생각했지만, 말하고 싶은 기분도 아니고 어머니가 들으면 걱정만 할 게 뻔해 그냥 가만히 있었다.

그러다 왠지 동생의 얼굴이 보고 싶어져 모기장 안에 들어가서 "그럼 갔다 올게" 하고 말했다.

이윽고 인력거가 왔다는 어머니의 목소리에 동생이 눈을 번쩍 떴다. "술 너무 많이 마시지 마" 하더니 바로 눈을 감고는, 조금 전부터 잠자는 것처럼 가만히 누워 있었다.

"그럼 몸 잘 챙겨."

하지만 동생은 꿈쩍도 하지 않았다. 나는 동생을 깨워서 한 번 더 말을 걸려고 했다.

"다이조, 다이조."

"그냥 놔둬라" 하고 모기장 옆에까지 온 어머니가 말했다. 나는 그만 단념하고 모기장 밖으로 나가, 마시다 남은 술을 서둘러 들이켰다.

덜컹대는 인력거에 흔들리며 논길을 따라 역으로 가는 동안, 어머니 말대로 이삼일이라도 더 있을 걸 하고 생각했다. 하지만 굳이 떠난 건, 도쿄에서 생활하는 내가 언제까지고 이렇게 동생 곁에 머문다는 건 며칠 안에 다가올 동생의 죽음을 기다리는 것 같았기 때문이다. 죽음을 기다릴 리도 없거니와, 나도 이제는 동생의 죽음이 가까워졌다는 생각이 들었기에 하루하루 더 머문다는 건, 오늘일까, 오늘일까 하는 것 같은 기분이 들기도 했다.

"요즘은 도쿄 어디에 계세요?"

어둠 속의 물웅덩이를 이리저리 피하며 인력거꾼이 묻는 목소리에 문득 정신이 돌아왔다.

"메구로 쪽입니다."

꽤 힘주어 대답하긴 했지만 목소리는 갈라져 있었다.

인력거가 덜컹거릴 때마다 금방이라도 눈물이 떨어질 것만 같았다.

그로부터 2주쯤 지난 어느 날, 하숙집 이층에서 손톱을 깎고 있는데 동생에게서 편지가 왔다.

"난 건강해. 어제오늘은 이부자리 옆에 책상을 놓아 달라고 해서 렘브란트의 소묘를 따라 그렸어. 친구들 주소록도 정리하고. 이 상태라면 이제 곧 앞뜰 정도는 걸을 수 있을 것 같아. 형, 난 건강해. 형도 부디 건강하게 지내." 그리고 조금 간격을 띄우고는 다른 글씨체로 "역시 망설이지 말고 한방 요법을 따르는 게 좋겠어. 서양의학은 엉터리야"라고 쓰여 있었다.

나는 기뻤다. 하지만 정말일까. 그래도 역시 불치의 병이란 없다며 실낱같은 희망을 버리지 않고 기다린 나는 자부심마저 느꼈다. 가을 햇살을 받은 동생 방의 툇마루는 환히 빛나고, 야윈 발에 버선을 신고 책상 앞에 앉아 있는 동생의 모습이, 뜰 안의 소나무와 푸른 하늘과 함께 눈앞에 떠올랐다.

"그건 아마 '잠깐 맑은 날'이었을 게야."

어머니는 장례식이 끝난 저녁, 우리 네 형제가 모인 자리에서 말했다.

“그게 무슨 말이에요?” 하고 막내가 물었다.

“사람이 죽기 전에 아주 짧은 동안이지만 기분이 좋은 날이 있단다. 그런 날을 ‘계속 비가 오다 잠깐 맑게 갠 날’이라고 하는 거야.”

친구를 찾아가, 고토쿠지 절 근처 어느 카페에 가서 맥주를 마셨다. 그날 밤은 갑자기 큰 비가 쏟아지고 바람도 심해, 술을 마시는 도중에 두 번이나 정전이 되었다. 손님이 적은 밤이었고, 이층에는 나와 친구 둘뿐이었다. 종업원들은 할 일이 없어 네다섯 명이나 우리 옆에 있었다. 그리고 저마다 유행가를, 바깥바람과 빗소리 때문에 목청 높여 불렀다. 갑자기 기온이 떨어지는 바람에 살짝 한기가 느껴져 나도 노래를 부르기 시작했다. 조금 있으니 주방장이 올라와 우리 방의 다섯 개뿐인 전등을 세 개나 끄고 나가자, 우리의 노랫소리는 점점 더 크고 거칠어졌다.

테이블도 의자도 터무니없이 높은 데다, 눅눅한 마루는 널빤지로 되어 있어, 네다섯 칸 남짓한 그 방은 마치 마구간 같은 느낌이었다.

그곳을 나와 퍼붓는 빗속을 걷다가, 나는 친구와 고토쿠지 역에서 헤어졌다. 덜덜 떨면서 하숙집에 돌아와, 서둘러 옷을 벗고 15분이나 멍하니 방 한가운데서 담배를 피우고 있는데 전보가 왔다. "다카무라 씨, 전보예요." 하숙집 주인이 여느 때처럼 딱딱한 목소리로, 그래도 어쩌면 동생의 사망 소식일 거라고 짐작했던 모양인지, 눈을 내리깔고 계단 중간에서 슬쩍 전보를 던져 주었다.

"다이조 사망."

나는 그 전보를 들고 방 한가운데에 선 채, 땅이 울리는 소리라도 들은 것처럼, 정말이구나, 정말이야, 하고 소리도 없이 중얼거렸다.

시계를 보았다. 11시 20분이었다. 이제 기차는 없다. 내일 첫차로 내려가자.

그런데……, 슬픈 마음 한구석에는 또 이상하게 느긋한 마음이 생기며 이런 생각도 들었다. 죽고 나서 서두른들 무슨 소용이 있을까……, 하지만 이런 생각을 하는 것도 웃기다, 음, 웃겨. 그렇긴 해도, — 나는 또 생각했다. 동생은 이미 먼 길을 떠났어. 동생은 이제 더는 이 세상 사람이 아니야! — 나는 시선을 먼 곳으로 돌렸다. 유리문 앞에 덧문이 있었다. 이미 닫혀 있었다. 기둥도 벽도 분명 여느 때와 똑같은 모습이었다.

나는 함께 하숙하는 사람이 없다는 것이, 방 두 칸짜리 이층에 나 혼자라는 것이 얼마나 기뻤는지 모른다. 실컷 슬퍼하기 위해 나는 침대 속으로 들어가 머리 위로 담요를 푹 뒤집어썼다. 숨이 막힐 것만 같았다. 하지만 그게 뭔 대수란 말인가. 내가 맥주를 마시고 있을 때 동생은 마지막 고통과 싸우고 있었다!

화장터에서 돌아오는 길이었다. 조금 흐린 날, 희뿌연 길 위를 걷고 있는데, 죽은 동생 바로 밑의 동생이 누가 묻지도 않았는데 불쑥 말을 꺼냈다.

"형은 큰 소리로 이런저런 말을 했는데, 의사 놈은 형 정신이 이상해졌다며 바로 마취 주사를 놓았어. …… 근데 그때 형이 큰 소리로 외친 말은 형의 마음을 그대로 보여 준 거였어."

"사실 정신이 이상해진 것도 아니야."

그 밑의 동생이 이어서 말하며 눈을 돌렸다.

"큰 소리로 뭐라고 했는데?"

"그건……" 하고 동생은 잠시 무슨 말부터 해야 할지 망설였다. 말해 줄 수 있을까. 무슨 말일까.

"가지카와(의사의 이름), 네가 날 죽이는구나! …… 정말 큰 목소리였어" 하며 동생은 눈물을 삼켰다.

길이 약간 울퉁불퉁했지만, 나는 그저께 밤부터 잠을 못 잔 탓에 조금만 길이 울퉁불퉁해도 다리가 후들거렸고 머리도 어질어질했다. 찬바람이 가볍게 불어와, 와이셔

츠 소맷부리 언저리에, 솜털이 바람에 살랑대는 듯한 느낌이 들었던 것도 기억난다. 길가에 있는 절의 흰 담벼락에 묻은 거무튀튀한 먼지와, 거기에 쓰여 있던 낙서 따위도 눈 안에 머문 채 잊히지 않는다. 그 담을 따라, 종잇조각이며 거품이 살랑살랑 흔들리는 도랑을 보면서 걷는 게 싫지는 않았다.

조문객들에게 내가 얼마나 유난스럽게 답례를 했는지, 지금 생각해 보면 우습기까지 하다.

어머니는 의사 집에는 천천히 제일 마지막에 답례품을 들고 가라고 일러 주었다. "예" 하고 말하면서 나는 의사의 얼굴을 찬찬히 떠올렸다.

그날이 왔다. 시각은 오후 4시쯤이었다. 그날도 날씨가 흐렸는데, 10월의 마지막 날, 의사 집 현관에 들어갔을 때 이미 날은 어둑어둑했다.

인사를 끝내니, 잠시 들어오지 않겠냐고 한다.

"천천히 동생 얘기라도 같이 하지."

젊은 환자에게, 자네의 병은 낫지 않는다고 말하는 것을 무슨 깨달음이라도 되는 양 여기는 이 시골 의사는, 가끔씩 고향에 내려오는, 친구의 큰아들(아버지는 살아 계실 때 이 의사의 친구였다)이 어떤 인간일까 하는 이상한 호기심도 있었겠지만, 때마침 그때 환자도 없어 저녁 식사 전에 멍하니 시간을 보내고 있던 참이어서, 들어와서 이야기라도 하자는 그 말도 꽤 자연스러운 것이었다. 이제는 이 마을에 친구 하나 없는 나 역시도 요 며칠 동안의 많은 일들이 드디어 이것으로 마무리된다고 생각하니, 오랜만에 천천히 이야기를 나누고 싶은 기분이 들었다. 또 이 의사가 죽은 동생에게, 자네는 죽는다고 했을 때 깜짝 놀란 일이 떠올라, 이 시골 의사의 생각을 알고 싶은 마음이 막연히 들었기에 잠시 망설이기는 했지만, 좋아, 그래, 그럼 들어가자, 하고 생각한 것이다.

"그럼" 하며 내가 등 뒤의 유리문을 닫자, 의사의 부인이 생긋 웃었다. '사냥감이 걸려들었네……' 말하자면 그런 것이었다.

다시 한번 애도의 말을 건넨 뒤, 의사는 내 도쿄 생활에 대해 물었다. 이윽고 그 이야기도 바닥이 나자, 나는 나이가 스무 살도 넘게 차이 나는 어른을 찾아온 청년의 후회가 느껴졌다. 국회의원의 첩이 살았던 그 집은 꽤 훌륭해서 나는 "멋진 집이네요" 하고 격에 맞지도 않는 말을 하고는 또 한 번 후회했다.

조금 있으니 술은 어떠냐고 한다. 나는 죽은 동생의 앙

갚음을 해야 한다는 생각이 의사와 마주 앉아 있는 동안 점점 더 강해졌지만, 딱히 그럴 구실도 찾지 못했기 때문에, 예, 좋습니다, 하고 말했다. 그 말투에 꽤 힘이 들어가 있었던지, 부인은 의사를 보며 묘한 표정을 지었다.

"음, 술 좀 내오지."

부인은 술상을 준비하러 갔다.

독자들이여, 부디 여기서 보이는 나의 집요함을 나무라지 마시기를. 굳이 나무라지 않더라도, 나 자신은 그것에 대해서는 충분히 벌을 받고 있다. 하지만 그렇다고 해도 내가 만약 앞으로 조금은 인물을 구분해서 글을 쓸 수 있다면, 그것은 이 집요함으로 인해 괴로워하면서도 사람을 대하고, 소심한 주제에 배려도 없기 때문일 것이다.

술기운이 돌자 나는 또 여느 때처럼 떠들어댔다. 그런 나는 참으로 바보 같았다. 나중에는 또 부끄러워하겠지만, 이것이 내가 남들로부터 가르침을 받고 싶어 하는 마음을 충족시키는 방법이고, 또 이렇게 함으로써 나는 사람을 따르고, 사람을 조금이나마 이해할 수 있는 것이다. 이런 바보스러움을 억누른다면, 지금 당장은 이 의사가 친구의 아들을 우스운 녀석으로 여기지 않는 데 도움이 되겠지만, 자기 표현욕이나 지적 호기심에는 해가 될 뿐이다. 그러니까 될 대로 되라는 식이다. 손해 보는 것쯤은 익숙하다. 나는 적어도 술이 들어가면 담백하다고 할까 어리석다고 할까, 남들은 체면을 생각해 꺼리는 일 같은 건 전혀 신경 쓰지 않게 된다.

그래서 나는 "선생님이 동생을 살릴 방법이 없다고 믿고 계신 걸 안 뒤로는, 간호사가 됐든 누가 됐든 동생을 좋아하는 여자와 바로 결혼시켜 주고 싶었습니다"라는 말도 하고, "어차피 죽는다고, 설령 그걸 알고 있다고 해도, 환자한테 그런 말을 하는 건 제발 부탁이니까 그만두십시오"라는 말도 했다.

그러자 의사가 또다시 그 깨달음을 꺼내려고 했다.

"아니요, 그건 잘못된 겁니다. 체념이 중요하다고 해도, 체념하지 못하는 걸 어리석다고 말할 수는 없습니다. 이 세상에 거지가 있는 건 사실이지만, 그렇다고 해서 거지가 몇 명쯤은 있어야 할 이유는 없는 것과 마찬가지입니다."

죽은 동생을 생각하니 동생이 온몸으로 느낄 수밖에 없었던 것들이 떠올라, 나는 또다시 미칠 듯이 온갖 자책이 솟구쳐 올랐지만, 혼자 있을 때는 미몽에 빠져 있는 나도, 남들 앞에서는 남성적이랄까 논리적이랄까 여하튼 철저히 이성적이었다.

부인은 더 이상 나오지 않고 안쪽에서 비파를 켜고 있

는데, 아이가 없고 살이 찐, 무척이나 쾌활한 부인이 울리는 비파 소리는 조금 아무렇게나 치는 듯한 소리여서, 나는 조롱 당하는 듯한 기분마저 들었다. 하지만 이런 기분을 억누를 때도 나는 방금 말했듯이 꽤 남성적이다.

나는 잠시 일어나 변소에 가는 길에, 휘어진 계단을 헛디디는 바람에 네다섯 칸이나 굴러떨어져 팔꿈치가 심하게 긁혔다. 놀라서 뛰쳐나온 의사의 부축을 받으면서도, 고소하다, 고소해, 죽은 동생을 잊고 있었으니 벌을 받은 거야, 하고 온갖 생각들이 떠올랐다. 심장이여, 쿵쿵 울려라, 팔꿈치여, 아파라. 이것이 죽은 동생을 향한 한 조각의 참회라도 된다면, 아아 얼마나 기쁠까! ……

취기가 온 얼굴에 오르고 머릿속이 지끈지끈했다.

그러고서도 30분이나 더 마신 후에 인사를 하고 일어서려는데, 조금 전 넘어졌을 때 허리까지 삐었는지 아파서 쓰러질 것 같아 의사의 부축을 받고 차를 탔을 때는 너무나 부끄러웠다. 현관에 서서 웃음을 참고 있던 부인의 얼굴이 자동차가 논길을 달리는 동안 눈앞에 어른거렸다.

집에 도착해 억지로 힘을 내고, 허리 아픈 걸 들키지 않도록 애써 자세를 바로 하며 "다녀왔습니다" 하고 무덤덤하게 말했다.

"아유, 많이도 마셨구나. 지금까지 무슨 얘기를 한 거냐?" 어머니는 창백한 얼굴로 나를 살펴보았다.

"그냥 동생 얘기했어요. 제가 도쿄에서 어떻게 지내는지 물어보시길래 잘 말씀드렸고요."

어머니는 슬픈 듯이 내게서 눈을 돌렸다.

"다들 자나 보네요" 하며 나는 내 잠자리가 있는 별채로 걸어갔다.

그 방에는 할머니와 내 이부자리가 깔려 있었는데, 내가 방에 들어가자 잠이 깬 할머니가 "아이고, 수고했다" 하고 말했다.

회한이 가슴에 밀려와, 바로 누워도 모로 누워도 잠이 오지 않았다. 한 백 미터쯤 앞에서부터, 내가 타고 왔던 자동차가 지나온 길을 오토바이가 먼 천둥소리처럼 다가오더니 이윽고 사라져갔다.

(1933년)

나카하라 주야(中原中也) 1907~1937

시인, 번역가. 일본 문학사에 큰 자취를 남긴 근대 서정 시인이다. 서른 살에 결핵으로 요절한 그는 짧은 생애 동안 350편 이상의 시를 남겼다. 《산양의 노래》, 《지난날의 노래》 등의 시집을 발표했고, 랭보, 앙드레 지드 등 여러 프랑스 작가의 작품을 번역하기도 했다.

나카하라는 짧은 생애 동안 무려 일곱 번이나 가족과의 사별을 경험했다. 여덟 살 때 네 살 아래 동생이 죽은 뒤로 차례차례 가족의 죽음을 겪었고, 자신이 죽기 바로 전 해에는 두 살 된 첫아들마저 병으로 잃었다. 이 글은 나카하라가 스물네 살 때 열아홉 살이던 동생이 죽었을 때의 일을 쓴 것이다. 어린 시절 겪은 동생의 죽음은 나카하라에게 큰 충격을 주었는데, 그는 후에 시를 쓰기 시작한 계기를 말하면서 "죽은 동생을 노래한 것이 첫 시작이었다"라고 했다.

풀 베는 냄새

스스키다 규킨

한바탕 소나기가 퍼부을 듯한 날씨였다. 모래 먼지가 이는 들길을 서둘러 걷고 있는데, 농부 한 명이 바쁜 듯이 풀을 베어 긁어모으고 있는 게 보였다. 긴 풀 냄새가 온 사방에 물씬 퍼져 있었다. 그 냄새를 맡으니 내 발걸음은 저절로 느려졌다. 나는 황소처럼 콧구멍을 크게 벌리고 가슴 한가득 공기를 들이마셨다.

뭐라 말할 수 없는 그리운 풀냄새. 나는 풀 앞에 서 있으면, 순식간에 쑥, 원추리, 들국화, 개여뀌, 쇠뜨기, 닭의장풀, 괭이밥……, 이렇게 베여 쓰러진 풀들의 이름을 구슬 꿰듯이 떠올릴 수 있다. 그리고 풀 하나하나가 갖고 있는 사상, 짓밟혀도 찢겨도 뻗어갈 수밖에 없는 그 생명의 골수를 냄새로 알 수 있을 뿐만 아니라, 어쩌면 이런 들풀의 씹는 맛까지 느껴지는 듯한 기분이 들 때가 있다. 나는 소의 타고난 우둔함과 정직함과 참을성 같은 것과 함께 소의 후각도 갖고 있는지 모르겠다. 그리고 또 하나, 소가 갖고 있는 커다란 위장이 있다면 나도 그들과 마찬가지로 극단적인 채식주의자가 되었을지도 모른다. 나는 정말로 그렇게 믿고 있다.

풀에 대한 나의 이런 친밀감은 대체 어디서 왔을까?

나에게 풀이란, 그것이 아무리 작고 덧없는 것이라 해도, 땅속에 숨어 있는 생명의 눈이다. 촉각이다. 따뜻한 감각이다. '생명'이라는 것은 그것이 아무리 변덕스럽고 헛된 표현을 가진다고 해도, 거기에는 아름다움이 있고, 힘이 있고, 반짝임이 있다. 온갖 사물 중에서 풀로 태어난 생명만큼 겸손하고 소박하고 정직하고 또한 참을성이 강한 것은 많지 않다. 풀은 나에게 그야말로 '말'이다. 잠깐이라도 가만히 있을 수 없는 신기한 존재이다. 발굽이 없기에 늘 한자리에 서 있는 작은 짐승이다. 목청이 없기에 늘 침묵하고 있는 작은 새이다.

하지만 풀에 대한 나의 친숙함은 단지 그것만은 아니다.

나는 어릴 때 풀 속에서 자랐다. 좀 더 적절하게 말하자면, 풀과 함께 자랐다. 시골의 쓸쓸한 마을에서 태어나 친구라고는 거의 없었던 나는 그나마 몇 안 되는 친구와 놀 때면 늘 풀 속이었다. 친구가 없을 때는 혼자서 토끼처럼 풀 위를 뒹굴며 돌아다녔다. 풀에는 꽃이 피고, 열매가 달려 있어서 나는 그것들과 같이 놀 수 있었다. 손가락에 딱 달라붙는 흰독말풀, 살짝 손을 대면 귀뚜라미처럼 치이치이 울면서 꼬투리에서 튀어나오는 꽈리 열매 같은 것은 아이인 나에게 참으로 경이로운 것이었는데, 얼마나 오랫동안 그것들과 함께 놀았는지 모른다.

풀 속에는 온갖 벌레가 숨어 있다. 여치, 땅거미, 군인처럼 엉덩이에 검을 차고 있는 귀뚜라미, 긴 콧수염을 기른 질투쟁이 꼽등이, 거드름 피우는 사마귀, 익살꾼 방귀벌레, 땅강아지, 지렁이……, 그런 동화 속 나라 임금님과 시동들의 부산스럽고도 느긋한 생활이 그곳에 있다. 풀잎을 헤치고 줄기를 구부려, 그 속에 숨어 있는 이 배우들의 연극을 엿보는 것만큼 나에게 억누를 수 없는 유혹은 없다. 벌레의 침묵, 벌레의 정사극, 벌레의 용맹함, 벌레의 무용극, 벌레의 복수극이 주는 재미. 내가 엿보고 있다는 걸 알아차리기라도 하면 그들은 깜짝 놀라, 하던 동작도 생각도 다 내팽개치고 허둥지둥 도망치기 시작했다. 성격이 급한 녀석은 내 손가락을 물기도 하고, 가느다란 털북숭이 정강이로 내 이마를 걷어차기도 했다.

언젠가 교토 고쇼의 정원을 우에다 빈 씨와 함께 산책한 적이 있다. 정원 안의 잔디에는 이제 막 솟아난 새잎이 햇살에 아름답게 반짝이고 있었다. 프랑스를 좋아하는 우에다 씨는 그걸 보더니 곧바로 그곳이 떠올랐는지 말을 시작했다.

"일본의 풀은 느낌도 감촉도 딱딱한 게 많은 것 같은데, 프랑스 들판에서 자라는 풀은 다들 부드럽고 게다가 벌레 같은 건 거의 보이지 않아서 기분이 좋아요."

나는 그 말을 듣고 도시에서 자란 이 학자와 시골에서 태어난 나 사이에 풀과 곤충에 대한 느낌에 큰 차이가 있다는 걸 깨닫지 않을 수가 없었다. 벌레는 이따금 내 손가락을 물고 살갗을 쏘기도 했다. 하지만 그들은 언제나 나의 놀이 친구였다.

벌레만 그런 게 아니라, 풀도 드물게는 인간에게 허연 이빨을 드러낼 때가 있다. 억새는 면도날 같은 잎으로 몇 번이나 내 손가락을 베었다. 엉겅퀴는 그 침으로 여러 번 내 손바닥을 찔렀다. 하지만 나는 언제 어느 때라도 그 풀들을 보면 "이봐, 형제……" 하고 불쑥 말을 걸고 싶은 친근한 기분을 잃은 적이 없다. 그것이 모래먼지로 더럽혀져 있든, 소 오줌에 젖어 있든, 그런 건 별로 대수롭지 않다.

함께 노는 것, 함께 놀아 주는 것, 성장하는 것, 성장하게 해 주는 것. — 나와 풀의 관계는 그렇게 떼놓을 수 없는 사이였기에, 지금 저녁놀 앞 들길에서 생각지도 못한 풀냄새를 맡으며 나는 한참을 그곳에 서 있었다.

화살 같은 은색 줄기를 그리며 굵은 빗방울이 후두둑 떨어졌다. 농부가 허둥지둥 꼴풀을 짊어지고 달리기 시작했다. 나도 그 뒤를 따라갔다.

(1926년)

스스키다 규킨(薄田泣菫) 1877~1945

시인, 수필가. 메이지 시대 이후 시단을 대표하는 상징파 시인으로, 고전적이고 품위 있는 시풍의 시를 썼다. 대표작으로 시집 《백양궁》이 있다.
마이니치 신문에 입사해 작품 활동을 하면서 아쿠타가와 류노스케, 기구치 간 등 신인 작가를 적극적으로 초빙하여 작품을 발표하게 하는 등 문학계 발전에 큰 공헌을 했다.
파킨슨병으로 투병하다가 늘 그리워하던 구라시키의 고향집으로 돌아가서 눈을 감았다.

서재와 별

기타하라 하쿠슈

"도쿄에는 별님이 없어."

그렇게 우리 집 아이는 자주 말한다.

"아아, 난 서재가 없구나."

이것은 아이의 아버지인 내가 하는 탄식이다.

정말이지 오다와라의 덴진산(天神山)은 온갖 별자리의 은혜를 누리고 있었다. 산의 풍경도 멋지고 환했지만, 이층 발코니와 침실에서 바라보는 밤하늘의 아름다움은 특별했다. 그것이 도쿄로 오고 나서는 거의 볼 수 없게 되었다. 그나마 아직 여기 야나카 묘지 쪽은 괜찮다. 어쩌다 맑게 갠 만월의 밤 같은 때는 싱그러운 목성도 반짝반짝 빛난다. 하지만 우리 집 뜰에서는 보리수나무와 메밀잣밤

나무에 가려져 꼬마 아이의 눈동자에는 별이 비치지 않는다.

이 집도 그렇다. 뜰도 넓고, 나무도 많고, 차양도 깊고, 그윽한 정취도 있고, 풍요로운 느낌도 있지만, 어느 방도 햇빛이 바로 들지는 않는다. 습기도 있다. 완전히 개방적이던 오다와라의 집과는 너무도 다르다. 지진으로 반쯤 무너지기는 했지만, 아이가 걸어 다녀도 흔들리던 이층집이기는 했지만, 아주 평온하게 계절의 바람과 햇빛을 받아들였다. 그리고 마치 풀과 나무와 벌레의 세상에 세 들어 살고 있는 것처럼 즐거웠다. 서재로 쓰는 곳은 거실도 되었다가 침실도 되고, 객실이나 식당도 되었다가, 아이 놀이방도 되었고, 때로는 공장 같기도 했지만, 그런 어수선함 속에서도 참으로 멋진 통일이 있었다. 찾아오는 손님도 드물었고, 아무 소리도 나지 않아, 늘 독서와 사색과 창작으로 스스로를 즐겁게 할 수 있었다. 그러나 이곳으로 옮긴 이후로 나는 그 모든 것들을 잃어버렸다.

5월부터 지금까지 나는 아직 이 집과 어울리며 살지 못하고 있다. 어느 방이든 통일이 느껴지고 깔끔하지만, 그저 그것뿐 오히려 짓눌리는 듯한 기분이 든다. 어느 방에 책상을 갖다 놓아도 마음이 차분해지지 않아, 여기에도 앉아보고 저기에도 앉아본다. 어수선하게 이것저것 물건이 어질러져 있는 방은 없다. 한적한 정취가 있어 멋진 집이라는 생각이 들지만, 그저 그것뿐 멍하니 있을 수가 없다.

게다가 면회 오는 사람이 많아 어떤 때는 서른 명이 찾아오는 경우도 있다. 처음에는 돈을 꾸러 오는 사람도 꽤 있었다. 면회일은 목요일로 정해 대문에 팻말을 걸어 두었는데, 진심으로 내 작업을 배려해 주는 사람은 별로 없는 것 같아 참으로 곤란하다. 게다가 정작 면회일에는 일부러 시간을 비워 두고 기다렸더니, 한두 사람밖에 오지 않는다. 게다가 면회일 팻말마저 누가 훔쳐 가 버렸다.

나는 여기로 옮긴 이후로 단 하룻밤도 차분히 내 시간을 가진 적이 없다.

이런 일이 계속된다면 나는 사그라들 수밖에 없다. 글을 쓰지 못하는 것만큼 괴로운 건 없다. 병이 날 것 같다.

오다와라의 무너진 '부엉이 집*'으로 너무나 돌아가고 싶다.

(1930년)

---

* 1919년 지어진 초가지붕 집으로, 정면에서 바라본 모습이 부엉이를 닮아서 붙여진 이름이다. 대지진 때 무너졌다. 다음 페이지의 그림은 기타하라가 〈부엉이 집〉이라는 시와 함께 그려서 시집에 실은 것이다.

기타하라 하쿠슈(北原白秋) 1885~1942

시인, 동요 작가. 근대 일본 문학을 대표하는 시인이다. 첫 시집 《사종문》에 이어 《추억》 등을 발표하면서 시단의 일인자로 평가받았다. 지금까지도 그의 동요는 많은 사람들이 즐겨 부르는 등 국민 시인으로 오랫동안 사랑받고 있다.

아이와의 여행

다야마 가타이

1911년의 설날은 가미스와 온천에서 맞이했다. 산에 내린 눈에 햇빛이 반짝이고, 차가운 바람이 살갗에 스며들었다. 반쯤 얼어붙은 호수 물에는 이삼일 전까지 다녔다고 하는 작은 증기선이 얼음에 갇혀 있었다.

어제 밤늦게 이곳에 도착했다. 온천탕은 계단을 내려가면 있었다. 어젯밤도 오늘 밤도 목욕을 하는 손님은 하나도 없었다. 나는 함께 데려간 열 살짜리 아들과 장난을 치며 그곳에 오래 몸을 담그고 있었다.

"물 끓이는 사람이 아무도 없는데 이렇게 저절로 뜨거운 물이 나와?"

아이가 눈을 동그랗게 뜨며 말했다.

깨끗한 물이었다. 손도 발도 전부 다 투명하게 보였다. 아이는 큰 욕탕을 자기 것인 양 헤엄을 치며 돌아다녔다. 지루했던 어제의 기나긴 기차 여행, 두통이 나는 무수한 터널, 그런 것들도 전부 잊은 것처럼 보였다.

히노하루와 고부치자와 사이에서 석양에 비친 붉은 후지산을 보았을 때, 아이는 정말로 놀란 듯한 얼굴로 창에서 고개를 떼지 않았다. 하지만 산이나 눈이나 골짜기나 마을 같은 것은 어린아이의 눈에는 아직 그다지 큰 호기심을 불러일으키지 않았다. 아이는 역시 멀리 있는 엄마를 생각하고 있었다.

고타쓰에 놓인 판자 위에 찻잔과 밥공기를 놓고 우리는 젓가락을 들었다. 아빠는 아이가 좋아할 것 같은 이야기를 몇 번이고 들려주었지만, 그것이 어느새 어른에게 말하는 것처럼 되어 버렸다.

스와 호숫가를 기차가 달리는 동안 산과 산 사이로 짙은 푸른색의 후지산이 보였다. 시오지리 역에 가까워졌을 무렵에는 일본 알프스의 산들이 어느 곳은 맑고, 어느 곳은 흐리고, 어느 곳은 눈보라에 감싸여 있는 것처럼 보였다. 정차장 앞 여관 이층 방에는 오후의 따뜻한 햇살이 밝게 비치고, 아이가 벗긴 귤껍질이 고타쓰 주변에 서너 개 흩어져 있었다.

기소의 골짜기는 눈이 깊었다. 돌을 얹은 판잣집이 여기저기 보였다. 기다란 고드름이 처마에 매달려 있는 것을 손으로 가리키며 나는 아이를 보았다. 볼 것 많은 세상, 생각할 것 많은 세상, 그것을 처음으로 맞이한 아이의 심정이 내게는 의미가 깊었다.

모른다, 하지만 알고 싶다.

알고 싶다, 하지만 모르는 건 말없이 보고 있을 수밖에 달리 방법이 없다.

아이는 언제나 말없이 보고 있는 쪽이었다. 산이 우뚝 솟아 있어도, 강이 흐르고 있어도, 산과 산 사이에 골짜기가 펼쳐져 있어도, 여관의 여자가 하얀 분가루를 바르고 웃으며 친하게 말을 걸어도……

아이는 말없이 보고 있었다.

인생은 생각하는 인생보다 보는 인생이다. 듣는 인생이다. 보는 것에서, 듣는 것에서, 여러 가지 현상이 그 의미를 풍부하게 했다.

눈만 밝으면 된다. 눈이 감겨 있다면, 귀만 밝으면 된다. 귀도 들리지 않는다면, 만져서라도 인생을 알고 싶다.

(1911년)

다야마 가타이(田山花袋) 1871~1930

소설가. 구니기타 돗포와 함께 일본 자연주의 문학을 대표하는 작가 중 하나이다. 대표작으로 《이불》, 《시골 선생》 등이 있다. 중년 작가의 여제자에 대한 복잡한 심정을 그린 소설 《이불》은 당시 문단에 큰 충격을 주기도 했다.
소설 외에도 전국의 온천을 돌아다니며 쓴 온천 기행문 등을 남겼다.

여름의 하루

도쿠토미 로카

눈을 뜨니 벌거벗고 누워 있다. 밖에는 벌써 매미가 울고 있다. 모기장 밖 어두운 구석에서 모기가 윙윙 울고 있다. 벌떡 일어나 시계를 보니 5시 10분 전. 문을 여니 상수리나무 숲에서 아침 해의 금색 빛줄기가 비치고 있다.

세수를 하고 알몸으로 잔디밭에 뛰어들어, 막 갈아 놓은 낫으로 잔디를 깎기 시작한다. 빗방울 같은 이슬이다. 풀베기는 이슬이 맺혀 있는 동안 하는 일이다. 슥슥, 삭삭. 재미있게 벨 수 있다.

발을 씻고 몸을 닦고 들어가면 8시다. 요즘은 아침밥을 건너뛰고 10시에 우유 한 잔이다.

오늘은 하루 일과에 대해 조금 썼다.

아침과 점심은 팥밥이다. 오늘은 아내의 생일이다. 어제 아내가 손안에 뭔가를 감추며 가져오기에, 펼쳐 보니 흰머리 세 가닥이었다. 아내에게도 흰머리가 생긴 것이다. 나는 열네다섯 살 때부터 다섯에서 열 가닥쯤 흰머리가 있었다. 어찌 됐든 부분적으로는 서로 백발이 될 때까지 해로하는 경지에 이른 셈이다.

주부의 생일인데도 팥밥에 두붓국으로, 정어리 한 마리 없다. 오전에 과수원을 걷는데 조생종 수밀도가 다섯 개쯤 익어 있는 걸 발견했다. 일단 점심 밥상 위에 올린다. 때에 따라서는 멋진 축하 선물이다.

오늘은 올여름 들어서 가장 더운 날이다. 오후에는 드디어 방 안 온도가 32도까지 올라갔다. 지토세무라에 사는 6년 동안, 32도는 오늘이 처음이다. 문이라는 문, 장지라는 장지, 창이라는 창은 하나도 남기지 않고 활짝 열어젖히고, 안채는 당지 바른 장지문을 모조리 걷어내 두 칸짜리 방을 하나로 만들었다. 마시면 땀이 날 걸 알면서도 참을 수가 없어 차가운 보리차를 마시고, 사이다를 마신다. 마시는 족족 땀이 되어 뚝뚝 흘러내린다. 강아지 '데카'와 '핑'도, 고양이 '도라'도, 떡갈나무 그늘 밑에 늘어져 누워 있다.

너무 더워서 머리라도 깎을까 하고 툇마루에서 책상다

리를 하고 앉는다. 바리캉으로는 안 돼서 아내가 가위로 짧게 깎아 주었다. 오늘 아침에 깎은 잔디가 벌써 시들어 하얗게 말라 있다. 홋카이도의 목장 같네, 하고 아내가 말한다. 남편은 잔디를 깎고, 아내는 남편의 머리를 깎는다. 잔디의 마음은 모르겠지만 남편은 기분이 좋아졌다.

창과 문을 다 걷어내니 식당이 넓어진 데다 바람이 불어 저녁 밥상은 시원했다. 밥을 먹으면서 슬쩍 쳐다보니, 석양이 남아 있는 갈대밭을 병풍 삼아, 남천나무의 검은 그림자가 춤을 추고 있다. 그리고 그 갈대밭 사이로 커다란 파초의 초록 잎이 팔락팔락 흔들리고 있다.

자동차 소리가 아오야마 거리에서 들리는가 싶더니, 도쿄에서 N군과 함께 세 사람이 가이의 산들을 사진 찍으러 왔다. 시간이 늦어 무리해서 두 장 정도만 찍고 돌아갔다.

해가 기울면 산들산들 불기 시작하는 남풍이 밤이 되면서 물 흐르듯 흘러들어 오기 때문에 램프에 불을 붙이기가 힘들었다. 안채 툇마루에 책상다리를 하고 앉아, 몸도 마음도 텅 비우고 산들바람에 젖어 든다. 램프의 불빛이 비치는 만큼 떡갈나무, 녹나무, 작은 맹종죽 잎이 하나하나 비취옥처럼 빛나며 팔랑팔랑 반짝반짝 춤을 춘다. 빛이 닿지 않는 곳은 묵화 그림 같은 검은 잎이 수도 없이 춤을 추고 있다. 나무들 사이로 색 바랜 여름밤의 하늘이 흘러가고, 그곳에는 무수한 별이 반짝반짝 깜빡이고 있다. 뜰의 어두운 한쪽에서, 달콤한 향과 자극이 강한 향이 은은하게 흘러온다. 치자나무와 산나리의 향이다.

여름의 밤은
모기가 흠이어서
오백 냥이네

여기에 모기만 없다면 얼마나 좋을까.

오늘 실수로 잘못 딴 쥐참외를 아내가 쓰루코를 위해 속을 파내 참외 등롱을 만들고, 돛단배를 조각해서 툇마루에 매달았다. 이따금 바람에 불려 꺼지기는 하지만 등롱 안에 작은 촛불을 켜서 넣었다. 초록으로 투명하게 비치는 작은 세상, 등롱 안에 피운 생명의 불이 켜져 있는 한, 흰 돛을 단 배 하나가 언제까지나 그 세상 바깥을 달리고 있다.

(1912년)

도쿠토미 로카(徳富蘆花) 1868~1927

소설가. 베스트셀러 장편 소설《불여귀》로 작가로서의 위치를 확립했다. 수필집《자연과 인생》, 소설《추억》,《흑조》 등의 작품을 남겼다. 톨스토이에 심취하여 러시아를 방문했고, 귀국한 뒤에는 반농 생활을 하면서 구도적인 삶을 보냈다.
기독교 세례를 받고 아내 아이코와 함께 1918부터 예루살렘 순례를 비롯해 세계 일주 여행을 했는데, 그때의 경험을 담은《일본에서 일본으로》를 아내와 공저로 발표했다.

어느 밤

도쿠토미 로카

매화는 늦고 벚꽃은 이른 4월 1일의 일.

나는 3시부터 볼일이 있어 어느 젊은 부인과 함께 가스야에서 다카나와로 갔다. 오후 6시부터 11시 넘어서까지 어느 집의 주인을 찾아가 이야기를 계속하다가, 끝내 마무리 짓지 못하고 그 집을 나왔을 때는 벌써 12시가 다가오고 있었다. 그래도 막차를 탈 수 있어, 부인은 미야케자카에 내려서 집으로 돌아가고, 나는 아오야마에 내려서 형네 집으로 갔다.

이제 막 잠이 들었는지, 문을 두드리고 부르고 외쳐도 잠을 깨지 않는다. 바로 근처에 조카네 집이 있지만, 산달이 다가오는 조카를 놀라게 하는 것도 좋지 않다. 나는 아오야마의 거리를 걷다가 파출소를 발견하고, 그곳 지도에서 본 기타마치 뒤쪽의 여관 문을 두드려 사람을 깨웠다. 잠을 깨고 나와 주기는 했지만, 방이 만실이라는 그럴듯한 변명을 하며 거절했다.

전차는 한참 전에 잠을 자러 가 버렸다. 밤이 밝으면, 종기 때문에 쓰키지 병원에 입원한 아버지를 병문안할 생각에 그때까지 신바시 정거장의 대합실에라도 가서 눈이라도 붙일까 하고 달빛과 가스등 불빛을 밟으며 어슬렁어슬렁 다메이케 길을 걸어 신바시로 갔다. 가서 보니 문이 닫혀 있다. 역무원에게 물으니 졸린 목소리로 4시 반까지는 열지 않는다고 한다. 아직 2시 전이다.

전등불만 밝게 비치는, 폼페이의 폐허 같은 쓸쓸한 긴자 거리를 걷다가 동쪽으로 꺾어 가부키자 앞에서 쓰키지 쪽으로 걸어갔다. 만넨바시 다리 옆에 모쿠아미*의 연극에나 나올 법한 우동가게가 있다. 새벽 2시쯤, 으슬으슬하기도 하고 배도 고팠다.

"여기, 우동 한 그릇 주세요."

"예에."

등불 그늘에서 예순 가까이 된 할아버지가 얼굴을 내

* 에도부터 메이지 시대에 활동한 가부키 각본가.

밀고 잠깐 나를 보더니 바로 부채를 팔랑팔랑 부치기 시작했다. 뒤에는 인력거 두 대가 있다. 차부 한 사람이 코를 골고 있다. 한 사람은 발 받침대 부분에 앉아서 무릎덮개를 머리부터 덮어쓴 채 가만히 있다.

"예에, 여기 나왔습니다."

나무젓가락과 함께 할아버지가 내준 그릇을 받고 한입 후루룩 입에 넣자, 국물에 비린내가 나서 울렁거렸지만 그래도 두 그릇을 먹었다.

"여기, 두 그릇 더 말아 주세요."

나는 값을 치르고, "잘 먹겠습니다! 이봐, 여기 손님께서 사 주셨어" 하고 차부가 다른 한 명을 부르는 소리를 들으며 만넨바시 다리를 건넜다. 가부키자의 연극 무대 배경에나 나올 법한 붉은 기를 띤 11월의 달이 전깃줄에 매달려 있다.

쓰키지 외과병원의 철문은 당연히 닫혀 있었다. 아버지의 방으로 보이는 이층 병실 하나에 쳐진 커튼 너머로 주홍색 빛이 비치고 있다. 나는 귀를 기울였다. 사람의 신음 소리가 난 것 같기도 했지만 헛것을 들었는지도 모른다. 아버지는 곤히 잠들어 있을 것이다. 당신의 자식 하나가 지금 병실의 불빛을 바라보면서, 이 깊은 밤 창문 아래를 헤매고 다닌다고는 꿈에도 모르실 것이다.

잠이 왔다. 머리에 쥐가 났다. 어디든 괜찮다. 이 묵직한 머리를 눕히고 싶어졌다. 나는 꾸벅꾸벅 꿈을 꾸듯 혼간지 절 주변을 돌아다녔다. 나는 몸으로 걷는 게 아니었다. 유령처럼 비틀비틀 헤매고 다녔다. 무심결에 묘지로 들어갔다. 그곳은 나도 알고 있는 곳이었다. 예전에 이치요 여사의 묘를 보러 왔을 때 돌아다닌 묘지이다. 나는 달빛 속에서 묘와 묘 사이를 누비며 걸었다. 누군가의 묘석에 앉아보았다. 하지만 이곳은 오래 잠들어야 하는 곳이다. 하룻밤의 죽음을 받아들이는 곳이 아니다. 나는 묘지에서 빠져나와 또다시 혼간지 절 앞의 광장으로 나왔다.

우연히 혼간지 절의 문이 열려 있는 것을 보았다. 입구에는 순사인지 문지기인지가 있는 오두막이 있고 불이 켜져 있다. 하지만 누가 뭐라 하는 사람도 없어서 성큼성큼 안으로 들어가 본당 툇마루에 올라갔다. 꽤 서쪽으로 기운 달빛은 땅을 기고 있어 본당의 툇마루에는 어두운 그늘이 져 있었다. 겨우 안식의 장소를 얻었으니 넓은 툇마루에 보자기를 깔고 손을 베개 삼아 누웠다. 살짝 설핏설핏하는데, 머리 바로 위에서 뭔가 바스락바스락하는 소리가 들렸다. 나는 눈을 뜨고 머리 위의 어둠을 바라보았다. 동시에 어둠 속에 구우 구우 하는 속삭임을 들었다.

"아, 비둘기구나."

나는 또 까무룩 잠이 들려 한다.

달이 서서히 떨어져 간다.

(1909년)

가을, 쓸쓸하다

도쿠토미 로카

오늘은 쓸쓸한 날이다.

달리아 꽃밭을 지나가는데 두 자 남짓한 갈색 끈이 움직이고 있기에 가까이 가 보니, 뱀이었다. 도마뱀처럼 좁다란 머리를 치켜세운 채, 검은 바늘 같은 혀를 날름날름하고 있다.

죽일까, 죽이지 말까, 망설이는 사이에 뱀은 잽싸게 거기 있는 지름이 한 치쯤 되는 구멍으로 들어가 버렸다. 순식간에 빨려 들어가듯 스르르 미끄러져 들어갔다.

꽃밭 안을 걸으니 매미 허물 몇 개가 떨어져 있다. 어젯밤에는 방 안에서, 어린 것이 임종하는 신음 같은 희미한 울음소리를 들었는데, 오늘 아침에 보니, 오르간 위에 힘이 다 빠져 버린 베짱이가 있었다. 베짱이는 아직은 죽을 수 없다. 죽을 수 있을 때까지 그렇게 울어야만 하는 것이다.

자연은 늙어간다. 방 앞에 벌 한 마리가 달려간다. 양 날개를 붙잡았는데 쏘려고도 하지 않는다. 무엇에 그리 힘이 빠졌는지, 날아갈 힘조차 없는 것이다. 살며시 땅 위에 내려놓으니 또다시 잔디 위로 슬슬 달려간다.

오늘은 쓸쓸한 날이다.

오후는 흐려서 눈물이 날 것 같은 날이었다.

오후가 되니, 묘하게 무더운 공기가 가득 찼다. 나른한 자연의 기운을 느끼며 잠이 잘 깨는 쓰루코가 낮잠이 들었다. 쓰레기장에는 강아지 데카가 늘어지게 자고 있고, 잔디에는 고양이 도라가 자고 있다.

남쪽에서 바람이 분다. 따뜻하기가 유월의 바람 같기에, 눈을 감았다가 뜨니 늦가을의 찬바람 소리가 난다.

오늘은 쓸쓸한 날이다.

지금은 오후 4시다. 구름 사이로 흘러나와 서쪽의 햇빛이 쨍하고 비쳐왔다. 뜰에 한가득 지기 시작하는 코스모스, 피기 시작하는 국화, 아직 남아 있는 다홍색 맨드라미, 벌과 등에가 떼 지어 있는 팔손이나무의 크고 하얀 꽃, 희미하게 노란색을 품은 잔디, 잎이 갈색으로 마르고

시든 싸리나무와 자작나무와 낙엽송, 다들 석양에 쓸쓸히 빛나고 있다. 선명하지만, 울고 있다. 아름답지만, 쓸쓸하다.

오늘은 쓸쓸한 날이다.

(1912년)

눈

도쿠토미 로카

12월 28일은 오전부터 비가 오더니, 밤이 되어도 계속 내렸다.

새벽 2시쯤, 머리맡 가까이서 털썩하는 소리에 나는 벌떡 몸을 일으켰다. 옷매무새를 가다듬고 잠시 이부자리 위에 우두커니 서 있으니, 누군가 몰래 숨어든 기색은 없고 문밖에서 사락사락 소리가 살며시 들려왔다.

"눈이구나!"

조금 전 그 소리는 떡갈나무 가지에서 미끄러져 떨어진 눈 소리였다. 나는 웃으며 다시 잠들었다.

6시에 일어나 덧문을 열어 보니, 하얀빛이 쨍하고 눈을 찔렀다. 툇마루 끝까지 새하얗다. 벌써 다섯 치나 쌓였는데 아직도 펑펑 내리고 있다.

작년은 날이 따뜻해 눈다운 눈을 보지 못했다. 해가 바뀌기 전에 눈이 다섯 치나 넘게 쌓인 것은 우리가 지토세 마을의 주민이 된 후로 처음이다.

나는 안쪽 서재 문을 열었다. 남서쪽이 멀리 한눈에 내다보이는 이 방은 지금 눈 덮인 논밭을 액자 없는 그림으로 보여준다. 뜰 안의 열 그루 남짓한 크고 작은 소나무는 저마다 쌓인 눈에 휜 채로 아슬아슬하게 버티다가, 금방이라도 뿌리칠 듯한 모양으로 가지를 흔들흔들 움직이고 있다. 발가숭이 낙엽수는 쌓이는 눈에 얌전히 몸을 맡기고 있다. 마른 싸리나무 덤불이 활 모양으로 땅바닥에 납작 엎드려 있다. 나는 나도 모르게 소리 내어 웃었다. 등을 돌린 지장보살 석상이 간호사가 쓰는 것 같은 흰색 모자를 쓰고, 양쪽 어깨에는 하얀색 눈 견장을 얹은 채 새침하게 서 있는 것이다.

장지문을 닫고 방으로 들어간 나는 일을 시작하기 전에 편지 두 통을 썼다. 한 통은 쓰쿠바산카에 사는 의사에게, 또 한 통은 도쿄 긴자의 서점 주인에게 보내는 편지였다. 강가의 설경과 세밑에 눈 내린 도시가 그려진 우키요에 그림이 환상처럼 눈앞에 떠오른다. 편지를 다 쓰고 나서, 나는 글을 쓰기 시작했다. 장지문이 서서히 눈이 부시도록 환해지고, 이따금 깜짝 놀랄 만큼 큰 소리를 내며 쿵 하고 눈이 떨어진다. 책상 옆에는 놋주전자가 쨍쨍 소리를 내고 있다.

점심시간을 알리러 쓰루코가 왔다. 방에서 나와 보니, 아직 드문드문 눈이 내리고는 있지만, 사방은 눈이 아닌 빛을 받아 밝고, 안채 앞 잔디는 떡갈나무에서 떨어진 물방울에 벌써 눈이 띄엄띄엄 사라지고 있다.

"뭐야, 이게 다야? 봄눈 같잖아."

이렇게 투덜대며 식탁 앞에 앉는다. 까맣게 옻칠한 쟁반 위에 하얀 것이 세 개 놓여 있다. 남천나무의 붉은 열매를 눈알로 만든 토끼, 용수염풀의 푸른 열매가 눈알이 된 메추리, 용수염풀 이파리로 눈썹을 붙이고 그 열매로 눈알을 만든 꼬마 눈사람이 쟁반 위에 모여 있다. 쓰루코를 위해 아내가 만든 것이다.

"이 눈사람은 서양 사람이야. 이거 봐, 눈이 파랗잖아" 하고 쓰루코가 말한다.

눈 때문에 오늘은 신문이 오지 않는다. 아침에는 우유 장수, 오후에는 일흔이 다 된 우체부 할아버지가 왔다 간 참이다. 내일 떡을 좀 쳐 달라고 부탁했더니, 옆집에서 찹쌀을 받으러 왔다. 온 김에, 막 쪄낸 고구마 두 개를 쓰루코에게 주고 갔다.

나는 안방에서 아침부터 하던 일을 계속한다. 추워서 종종 화로에 숯을 넣는다. 해가 살짝 기울면서 장지문이 딱 적당한 정도의 밝기가 되었다. 솨아 하는 소리가 난다. 쿵 하는 울림이 들린다. 바람이 분 것 같다. 4시가 좀 넘으니, 아내가 차를 끓이고 쓰루코가 군밤을 들고 들어온다.

"눈을 끓여 달인 거예요."

아내가 말한다. 펜을 놓고 먼저 한 잔을 기울인다. 은주전자라고 하지만, 아무리 봐도 쇠주전자다. 그래도 왠지 차 맛이 부드럽다. 저마다 군밤 껍질을 벗기며 장지문을 열고 잠깐 밖을 바라본다. 북쪽에서 바람이 불어온다. 논 저편 삼나무 숲을 스치고 하얀 바람이 휘익 휘익 몇 번이나 비스듬히 불며 지나간다. 뜰 안에는 꽃 모양의 크고 작은 눈송이가 나방처럼 날아다니고, 튕기고, 날뛰고, 팽그르르 뒤집고, 춤추듯 빙글 돌고, 그렇게 재미있다는 듯 장난을 치며 몸도 마음도 가볍게 흩날리고 있다. 사라져가던 눈 모자가 또다시 지장보살의 머리 위로 높이 솟아올랐다. 뜰에서 주인 노릇을 하는 소나무 가지에서 가끔씩 쏴아 하고 눈 폭포가 떨어진다.

"오늘 밤에도 내리겠어요."

그렇게 말하고 아내는 쓰루코와 함께 방을 나갔다.

나는 눈바람 소리를 들으면서 일을 계속한다. 한 장을

쓰면, 다음에 써야 할 글이 희미해졌다. 나는 펜을 닦고 일어서서 장지문을 열었다.

창백한 눈의 황혼이다. 눈이 닿는 데까지, 귀가 닿는 데까지, 사람도 없고 소리도 없다. 그저 눈만이 폴폴 하염없이 내린다. 한참을 바라본다. 문득 툇마루 끝에 검은 뭔가가 지나간다 싶었는데, 저번 달부터 난데없이 우리 집에 들어와 사는 떠돌이 개였다. 아직 어리고 귀가 큰 암컷인데, 어디서 어떻게 들어왔는지 모르지만 제 맘대로 눌러앉아 버려 쫓아내려고 해도 나갈 생각이 없다. 우리 집에는 암컷과 수컷이 한 마리씩 있어서 더 이상 키우기도 번거롭다. 그래서 일부러 사람을 불러, 다마가와 강 건너편에 버리게 했다. 그랬더니 이튿날 또 불쑥 찾아왔다. 기차에 태워 보내면 어떻겠냐는 말에, 오기쿠보에서 기차를 타고 기치조지에 데려가 숲속에 두고 왔더니, 끊어진 목줄을 덜렁덜렁 매단 채 일주일 만에 되돌아왔다. 이웃에게 부탁했더니, 아이 둘이 있고 개를 좋아하는 집에서 돌봐 준다고 해서 일단 그 집에 데려다 놓았는데, 긴 사슬을 질질 끌면서 돌아왔다. 그래서 하는 수 없이 지금은 그냥 두고 있다. 내가 휘파람을 불자, 그 녀석이 고개를 번쩍 치켜들더니 금세 꼬리를 내리고 작은 발자국을 눈 위에 깊숙이 새기며 뒤쪽으로 가 버렸다.

눈은 여전히 하염없이 내리고 있다.

그럴 생각은 없었는데, 나는 올 한 해에 있었던 여러 가지 일들을 머릿속에 떠올렸다. 나 자신, 우리 가족, 우리 마을, 내 나라, 다른 나라, 이런저런 많은 일들이 있었던 한 해였다. 세상 각지에서 갖가지 모습으로 사람들 마음속의 흥분, 인간들의 동요가 새삼 어지럽게 내 눈앞에 떠올랐다.

세상은 어디에 머물게 될까?

나는 한참 동안 정처 없이 눈 속을 바라본다.

1912년 세밑의 29일은 창백하게 저물어 간다.

저마다 다들
미친 듯이 춤을 췄다
흔적도 없이
세상은 하나의 색
눈 속의 황혼

(1913년)

옮긴이의 말

일본의 첫 수필 문학은 11세기 초 헤이안 시대의 궁녀 세이 쇼나곤의 《마쿠라노소시(베갯머리 서책)》라고 알려져 있습니다. 천 년이 넘는 긴 세월 동안 이어져 와 지금까지도 많은 일본인들에게 읽히고 있는 만큼, 수필이 일본인들에게 얼마나 많은 사랑을 받아온 문학 장르인지 알 수 있습니다.

일본의 수필은 일상의 소재를 가지고 그저 생각나는 대로 자유롭게 쓴 것이 많습니다. 《마쿠라노소시》, 《호조키》와 더불어 일본의 3대 수필 중 하나인 《쓰레즈레구사》의 첫머리에 등장하는 "무료하게 온종일 벼루 앞에 앉아, 마음속에 떠올랐다가 사라지는 시시한 것들을 생각나는 대로 쓰고 있으니……"라는 유명한 구절은 일본 수필 문학의 특징을 잘 보여 준다고 할 수 있습니다. "마음속에 떠올랐다가 사라지는 시시한 것들을 생각나는 대로" 쓴 글 속에서 자연과 일상을 대하는 태도와 삶의 방식을 느낄 수 있습니다.

화려한 귀족 문화를 꽃피웠던 헤이안 시대에 시작된 만큼, 일본의 수필 문학은 섬세하고 기교적인 면을 보여주기도 하지만, 한편으로는 대상에 주관적으로 몰입하면서 공감을 나누기도 하고, 또 다른 한편으로는 객관적이고 관조적으로 자연과 사물을 바라보는 모습을 보여 주기도 합니다. 세속을 벗어난 불편함 속에서 한적함과 여유로움을 느끼기도 하고, 덧없고 쓸쓸함 속에서 삶의 본질적인 모습을 보기도 합니다. 또한 죽음을 앞둔 이의 체념과 비애 속에서 당연한 듯 누리는 하루하루의 소중함을 되돌아보기도 합니다.

《봄은 깊어》는《꽃을 묻다》에 이은 시와서의 일본 수필 선집입니다.《꽃을 묻다》에서는 '추억', '그리움', '인생'이라는 테마로 작품을 엮었는데, 이번 선집에서는 일본 고유의 정취가 느껴지는 작품들을 소개하고 싶었습니다. 특히, 애절함, 쓸쓸함, 무상함, 소박함, 한적함 등 일본 특유의 정서와 미의식이 잘 드러나는 작품을 고르려고 했습니니다.

이번 선집에는 총 열아홉 명의 작가들의 수필 마흔다섯 편을 수록했습니다.《꽃을 묻다》를 작업할 때도 그랬지만, 번역 못지않게 작품을 고르고 엮는 일에 대한 고민이 많았습니다. 작품 선정이 거의 마무리되고도 여전히 묻혀 있을 것 같은 글에 마음이 쓰였습니다. 나쓰메 소세키, 다자이 오사무, 아쿠타가와 류노스케와 같이 잘 알려진 작가를 비롯해, 도쿠토미 로카, 구보타 만타로 등 국내에 잘 알려지지 않은 작가들의 글도 많이 실었지만, 한 작가의 작품이 여러 편 실리기도 해 더 다양한 작가를 소개하지 못한 것 같은 아쉬움도 남습니다.

늘 가까이에 있는 일상과 자연이라도 찬찬히 바라보고 가만히 귀 기울이면, 뜻밖의 발견과 새로운 생각을 던져줄 때가 있습니다. 그러한 것들이 무미건조하게 느껴지기도 하는 삶을 여유롭고 풍요롭게 만들어 주는 것 같습니다. 선집 속 한 편 한 편의 작품들과 함께 그런 시간을 가질 수 있게 된다면 기쁘겠습니다. 아쿠타가와 류노스케는 수필을 청한(淸閑)의 문학이라고 했습니다. 이 책을 읽는 독자 한 분 한 분의 마음속에, 삶 속에, 한 줄기 맑고 한가로운 바람이 불어들기를 바랍니다.

옮긴이 박성민
도쿄외국어대학교 대학원에서 일본어학을 전공하고 통번역사로 일했다. 번역서로 《심호흡의 필요》, 《세상은 아름답다고》, 《나쓰메 소세키 - 인생의 이야기》, 《다자이 오사무 - 내 마음의 문장들》, 《어느 바보의 일생》 등이 있다.

봄은 깊어

2022년 2월 10일 1쇄 찍음
2023년 3월 10일 2쇄 찍음

지은이　나쓰메 소세키 외
펴낸곳　시와서 출판
펴낸이　송승현

출판등록　2016. 12. 6.
주소　경기도 파주시 책향기로 183, 1507-506
전화　070-8200-1604
이메일　siwaseo@gmail.com
블로그　blog.naver.com/siwaseo
인스타그램　www.instagram.com/siwaseo

ISBN　979-11-91783-01-8